걷고 이야기하고 먹고 차를 마시고
사람을 만나고 시장에 가는 모든 것.
뺨에 스치는 바람을 느끼고 시끄러운 자동차소리를 듣고
친구와 악수를 하면서 감촉을 전하는 것, 이 모든 것이 수행이며 만행이다.
순간 순간 우리의 마음을 열어주는 모든 것-
이것이 바로 만행이다.

For someone who practices strongly,
even walking, eating, drinking tea, meeting friends,
peeling a ripe persimmon, using the toilet,
walking through the busy market,
feeling the sudden autumn wind on one's face,
watching a passing car on the busy city street-
all of these moments are our practice,
or 'man haeng.'

걷고 이야기하고 먹고 차를 마시고

사람을 만나고 시장에 가는 모든 것,

뺨에 스치는 바람을 느끼고 시끄러운 자동차소리를 듣고

친구와 악수를 하면서 감촉을 접하는 것, 이 모든 것이 수행이며 만행이다.

순간 순간 우리의 마음을 열어주는 모든 것-

이것이 바로 만행이다.

For someone who practices strongly,

even walking, eating, drinking tea, meeting friends,

peeling a ripe persimmon, using the toilet,

walking through the busy market,

feeling the sudden autumn wind on one's face,

watching a passing car on the busy city street -

all of these moments are our practice,

or 'man haeng.'

萬行

萬行

만행 하버드에서 화계사까지

1

열림원

만행 · 하버드에서 화계사까지 1

1판 1쇄 발행 1999년 11월 5일
1판 4쇄 발행 1999년 11월 18일

지은이/현각
펴낸이/정중모
펴낸곳/도서출판 열림원
주간/ 정은숙
편집/김이금 · 최서영 · 강삼연
영업/하광석 · 김석현 · 도승철 · 경재욱 · 박진석
관리/김명희 · 서성임
디자인/김진경 · 최인경
등록/1980년 5월 19일(제1-124호)
주소/서울시 종로구 무악동 63-6
전화/733-5045, 735-9100
팩시밀리/735-0014
하이텔 · 천리안 · 유니텔 ID/yolimwon
인터넷/http://www. yolimwon. com
E-mail/editor@yolimwon. com

* 책값은 뒤표지에 있습니다.

ISBN 89-7063-207-7 03810
ISBN 89-7063-206-9 03810(전2권)

구하라. 그러면 받을 것이다. 찾아라. 그러면 찾을 것이다. 문을 두드려라. 그러면 열릴 것이다. 누구든지 구하는 사람은 받을 것이며, 찾는 사람은 찾을 것이요, 두드리는 사람에게는 열릴 것이다.

— 마태복음 7장 7절 ~ 8절

좁은 문으로 들어가라. 멸망에 이르는 문은 크고 길도 넓어 그리로 들어가는 사람이 많고 생명에 이르는 문은 작고 길도 좁아 찾는 사람이 적다.

— 마태복음 7장 13절 ~ 14절

곧고 바른 것을 길[道]이라 하고 두려움 없는 곳을 목적지라 한다. 고요하고 한가한 수레를 타고 진실의 가르침을 덮개로 삼고 부끄러움을 고삐로 삼으며 바른 생각을 재갈로 하여 지혜를 훌륭한 말몰이 삼고 바른 소견을 안내자로 삼는다. 이 세상 어느 사람이라도 이것을 타면 생사의 험한 숲속을 지나 편안하고 즐거운 열반에 도달하리라.

— 잡아함경 제22:587경:2-156상, 별역잡아함경 제9:171경:2-437상

차례

숭산 숭산 숭산

1989년 12월 크리스마스를 며칠 앞둔 어느 날. 아침부터 쌩쌩 바람이 불어제치더니 먹구름까지 낮게 드리운 날씨가 심상치 않았다. 아니나다를까, 오후가 되자 진눈깨비가 흩날리더니 이내 밤송이마냥 커졌다. 하버드 교정 안에는 여느 날보다 일찍 가로등이 하나 둘씩 켜지기 시작했다.

문득 읽고 있던 책에서 눈을 떼 도서관 창 밖으로 시선을 던졌다. 그러고 보니, 점심도 안 먹었구나. 아침도 빵 한 조각으로 대충 때웠는데. 뭔가에 몰두하면 딴 생각을 못하는 나 자신이 기특하기도 하고 좀 멍청하기도 하다 싶어 슬그머니 웃음이 나왔다.

밥이나 먹으러 가자 싶어 읽고 있던 쇼펜하우어와 에머슨의 책을 주섬주섬 챙겨 일어나면서도 선뜻 식당으로 마음이 가지는 않았다. 딱히 배가 고픈 것도 아닌데 따뜻한 도서관을 나와 눈이 펑펑 날리는 거리를 걷다가 식당에서 혼자 밥을 먹어야 한다니…… 좀 궁상

맞잖아. 집에 갈까, 친구들 모아서 술이나 한잔 할까. 터덜터덜 계단을 내려오던 나에게 마사토시 교수의 목소리가 섬광처럼 스쳐 지나갔다.

"오늘 우리 학교에 생불(生佛, Living Buddha) 한 분이 오셔서 강의를 한다. 그분은 티벳 불교의 달라이 라마 등과 함께 현존하는 4대 생불 중 한 분이시다. 놓치면 평생 후회할 테니 바쁜 일이 있더라도 꼭 참석해라."

나의 지도교수이신 마사토시 나가토미.

일본인으로, 미국에서 명성 높은 불교학자 중 한 분이시다. 오전에 보고서 때문에 교수님 방에 잠시 들렀는데 내가 꼭 들어야 할 강의가 있으니 반드시 참석하라고 하셨다.

철들 무렵부터 내 머릿속을 지배했던 '진리란 무엇인가' 하는 물음. 예일 대학에 들어가 서양철학을 공부한 것도 서양의 오랜 현인들의 지식과 지혜를 통해 그런 물음에 답을 찾아보자는 것 때문이었다. 그리고 지금 이렇게 하버드 대학원에 들어와서도 다시 철학책을 파고 있는 나.

1989년 하버드 대학원에 진학할 무렵부터는 불교를 비롯한 동양철학에 꽤 심취해 있었는데 마사토시 교수는 그런 나를 늘 따뜻한 시선으로 대해주었다.

나는 식당으로 가려던 발길을 돌려 샌더스 시어터(Sanders Theater, 하버드 대학에서 가장 큰 강의실)로 향했다. 목 언저리까지 내려오는 긴 머리칼은 흩날리는 눈과 바람 때문에 제멋대로 휘날렸다. 오른손에는 두꺼운 책을 두 권이나 끼고 왼손으로 까만 머리카락을 쓸어넘기며 강의실로 걸어가면서도 '식당에 가서 차라리 햄버거를 사 먹는게 낫지 않을까' '이렇게 추운 날, 그냥 도서관에서 책이나 마저 읽을 걸 그랬나' 이런저런 생각으로 가득했다. (글쎄……지금 와 생각해보면 어떤 알 수 없는 힘이 나를 그곳으로 이끌었다고밖에 설명할 수 없다.)

드디어 강의실 문 앞. 시계를 보니 다섯 시 20분. 와! 20분이나 늦은 것이다.

살며시 문을 열고 강의실 안으로 들어서려던 순간, 나는 숨이 멎을 정도로 깜짝 놀랐다. 큰 강의실 안은 사람들로 가득했다. 계단이며 문 앞에까지 빼곡히 자리를 차지하고 있었다. 문 앞에 서 있던 사람들 때문에 연단의 강사 얼굴조차 제대로 볼 수 없는 지경이었다. 좌중에서는 연이어 폭소가 터져나왔다.

잘못하면 아주 재미있는 강의를 놓칠 뻔했다는 생각에 필사적으로 사람들을 밀치고 들어가려 했으나 역부족이었다. 앞줄에 앉는 것은 포기하고 뒷문 쪽으로 돌아 들어갔다. 그 순간 뒷문 바로 앞에 앉아 있던 한 남학생이 화장실에 가려는지 자리를 비우고 일어섰고 나는 이때다 싶어 뛰듯이 자리를 차지하고 앉았다.

그러나 숨을 돌리고 자리에 앉아 드디어 강사의 얼굴을 확인하는 순간, 나는 실망감을 감출 수 없었다. 통통하고 작은 동양인 한 사람이 삭발한 머리에 낡은 회색 옷을 걸치고 거기에다 문법에도 잘 맞지 않는 서툰 영어를 구사하면서 강의를 하고 있는 것이 아닌가.

도대체 저 사람이 무슨 생불이라고 이 난리를 피우는 거야 하는 생각이 들었으나, 다음 순간 나는 강의실 앞 두 줄을 가득 채우고 있는 하버드 대학의 내로라 하는 교수님들의 모습을 확인하고는 다시 한번 놀라지 않을 수 없었다. 철학 · 신학 · 생물학 · 문학 · 물리학

등등 미국에서, 더 나아가 세계적으로 둘째 가라면 서러워할 쟁쟁한 교수님들이 그 작은 동양인의 목소리 하나하나를 놓치지 않겠다는 진지한 표정으로 앉아 있는 것이 아닌가. 다들 강의에 완전히 몰입해 있었다. 강의실 안은 무려 3천여 명이 넘는 청중들이 내뿜는 열기로 후끈후끈했다.

강사의 목소리는 따뜻하면서도 힘이 넘쳐흘렀다.

"Descartes said, I think therefore I am. Therefore this I come from thinking. Where does thinking come from? Who are you? When you were born, where did you come from? When you die, Where do you go ?"

(데카르트는 '나는 생각한다. 고로 나는 존재한다'고 했습니다. 즉 이 '나'라는 것은 생각에서부터 나오는 것입니다. 그렇다면 생각은 어디서 옵니까? 당신은 누구입니까? 태어날 때 당신은 어디서 왔으며 죽을 때는 어디로 갑니까?)

격하고 억센 발음, 전치사는 다 빼고 단어만 나열하다시피 하는 어색한 영어. 나는 어디에서도 그런 영어를 들어본 적이 없었다.

그러나 그의 말은 사람을 잡아끄는 묘한 매력이 있었다. 아주 신선하고 재미있었다. 나는 무려 25년 동안 영어로 읽고 쓰고 말해왔고 많은 외국인들이 영어로 말하는 것을 들었지만 그렇게 심오하고 매력적인 방식으로 영어를 사용하는 사람은 처음 보았다.

"When you die where do you go?"

강사의 갑작스런 물음에 잠시 침묵이 흘렀다. 이윽고 앞자리에 앉으신 교수님들 몇 분이 대답을 시작했다.

저마다 플라톤, 아리스토텔레스, 뉴턴, 예수, 심지어 부처의 말까지 인용한 대답들이 쏟아져 나왔다. 좌중에서 대답이 흘러나올 때마다 그 작은 동양인 강사는 손을 내저으며 웃기만 했다. 무안함과 당혹감으로 교수님들 얼굴이 벌겋게 달아올랐다.

"I will give you hint. Understanding cannot help you. Even though you read all the books in the Harvard library ten times, you cannot understand your true self."

(힌트 하나를 드리지요. 지식은 여러분들을 도와줄 수 없습니다. 여러분이 비록 이 하버드 도서관에 있는 모든 책을 열 번씩 읽었다 하더라도 '자기 자신'을 찾는 데는 도움이 안 됩니다.)

"Do you have any kinds of question? Please ask me."

(좋습니다. 질문 있으면 무엇이든 하세요.)

그러자 기다렸다는 듯 여기저기서 질문들이 쏟아졌다.

"마음이란 무엇입니까?"

"삶은 무엇이고 죽음은 무엇입니까?"

"인간의 고통은 어디서 오는 것입니까?"

한마디 단어, 한 줄의 문장으로 쉽게 대답할 수 없는 생과 죽음, 삶에 대한 철학적이고 근본적인 질문들이 쏟아져 나왔다.

그런데 나는 강의가 이어지던 두 시간 반 동안 그 강사의 대답을 들으면서 완전히 충격에 휩싸여 놀란 입을 다물지 못했다. 모든 질문마다 그는 아주 간단 명료하게 생생하고 지혜로운 답을 주었고, 그 많은 청중들은 그저 고개를 끄덕일 뿐 아무도 이의를 달지 않았

"데카르트는 '나는 생각한다. 고로 나는 존재한다'고 했습니다. 즉 이 '나'라는 것은 생각에서부터 나오는 것입니다. 그렇다면 생각은 어디서 옵니까? 당신은 누구입니까? 태어날 때 당신은 어디서 왔으며 죽을 때는 어디로 갑니까?"

나는 강의가 이어지던 두 시간 반 동안 그 강사의 대답을 들으면서 완전히 충격에 휩싸여 놀란 입을 다물지 못했다. 그는 누구인가, 어떤 사람인가. ……
그는 한국에서 온 숭산 큰스님이었다.

다.

그의 입에서 흘러나오는 말들은 진정 살아 있는 언어였다. 그동안 어떤 책에서도 어떤 교수님으로부터도 보거나 듣지 못했던 생생한 지혜였다. 그때서야 나는 비로소 죽은 언어와 살아 있는 언어의 차이라는 게 이런 거구나 하고 깨달았다.

태어나 철이 들 무렵부터 나를 놓아주지 않았던 '왜 사는가' '진리란 과연 무엇인가' 하는 의문들을 붙잡고 자라온 세월이 주마등처럼 흘렀다.

독실한 카톨릭 집안에서 태어나 오직 진리를 찾고 싶다는 마음 하나로 성당과 교회를 오갔다. 대학에 입학하면서부터는 소크라테스, 아리스토텔레스, 플라톤, 니체, 하이데거 등의 위대한 철학자들의 말과 생애를 공부했다. 아예 독일철학을 본격적으로 공부하겠다는 생각에 독일의 프라이부르크 대학에서 1년 동안 독일어를 배우면서 쇼펜하우어를 탐독하기도 했다.

뉴욕과 파리의 카페에 앉아 술잔을 기울이며 논쟁하고 고민했던 그 숱한 나날들. 내가 가장 존경하는 위대한 음악가인 베토벤과 구스타프 말러의 음악을 들으면서도 오직 마음 한가운데는 음표로 표현한 그들의 진리 추구를 향한 열정과 감동으로 가득했다.

하지만 그 어느 것도 궁극적인 나의 고민에 해답을 제시하지는 못했다. 늘 밤길을 혼자 걷는 나그네처럼 외로웠고 힘겨웠다.

"진리가 너희를 자유케 하리라"는 예수님의 말씀을 신념처럼 껴안고 살아온 날들. 그렇다면 진리란 무엇인가. 과연 있기나 하는 건가. 나는 누구인가. 왜 사는가.

그러나 1989년 12월 그날 하버드에서의 강의는 진리에 대한 갈증으로 말라붙었던 내 가슴에 불꽃을 당겼다. 두근거림, 충격, 당혹감, 환희감에 뒤섞여 강의실을 나온 나는 그날 밤 내내 잠을 이루지 못했다.

그는 누구인가. 어떤 사람인가.

강의실 문 밖을 나오며 마주친 그의 강연 안내 포스터. 평생 찾아 헤맨 연인을 이제야 만나기라도 했다는 듯 나는 두근거리는 심정으로 포스터를 한참 쳐다보았다.

ZEN MASTER SEUNGSAHN FROM SOUTH KOREA
(한국에서 온 숭산 큰스님)

숭산, 숭산, 숭산…… 그날 밤 나는 잠자리에 누워 '숭산'이라는 이름을 몇 번씩 되뇌었다.

분단 국가, 6 · 25, 시위…… 한국에 대해 내가 알고 있는 지식도 동원해보았다.

한국에서 온 숭산 큰스님.

한국 불교는 도대체 어떤 것일까.

이런저런 생각에 몸을 뒤척이다 잠이 들었다. 물론 그때까지도 먼 나라 한국에서 온 승려 한 사람이 나의 운명을 180도로 바꿔놓을 사람이라는 것은 전혀 모른 채로 말이다.

나의 가족

아주 어렸을 때부터 나는 수행자가 되고 싶었다. 카톨릭 전통이 강한 집에서 자랐기 때문에 신부가 되는 게 당연하다고 생각했다. 세상에 태어난 뒤 내 머릿속에 처음 박힌 이미지들은 성당과 신부와 수녀님에 관련된 것들이었다.

가까운 친척들 중에도 신부와 수녀님들이 많았다. 지금은 돌아가신 큰아버님은 우리가 살던 뉴저지에서 아주 존경받는 신부님이었고 고모 한 분도 수녀님이시다. 외삼촌 두 분은 결혼 전에 신부님이셨다.

집안 곳곳에는 예수님 사진과 그림, 십자가가 가득했다. 부모님과 형제들이 쓰던 열네 개 방 모두에 예수님과 마리아의 그림과 사진, 십자가가 있었다.

부모님은 나를 포함한 9형제 모두에게 태어나자마자 유아 세례를 받게 했다. 우리 형제들 이름은 세례명을 그대로 따 붙이셨다. 나의 출가(出家) 전 미국 이름인 '폴' 역시 세례명이다.

이렇듯 완벽한 종교적 환경에서 자라난 나는 어렸을 때부터 앞으로 내 삶이 영적인 생활과 뗄래야 뗄 수 없을 것이라는 강한 느낌을 가지며 살았다. 한번도 그것을 의심한 적이 없었으며 학교 공부를 마칠 때쯤 되면 수행자로서 출가의 삶을 살아가리라 생각했다. 그런데 지구를 반바퀴나 돌아 물설고 낯선 한국 절에서 그것도 한국인 스님을 은사로 모시고 출가할 줄 누가 알았으랴.

1964년 나는 미국 뉴저지에서 생화학 박사인 어머니 패트리샤 뮌젠과 아버지 조지프 뮌젠 사이의 일곱번째 아이로 태어났다. 아버지 성에서 알 수 있듯 친할아버지 할머니는 독일에서 태어나셨다. 외할아버지 할머니는 아일랜드 태생이다. 그들은 많은 한국인들이 미국으로 이주해올 때 가졌던 꿈처럼 좀더 나은 삶을 위해 1900년대 초반 미국으로 건너왔다. 양가 조부모님들 모두 열심히 일하신 덕택에 남부럽지 않은 가정을 꾸릴 수 있게 됐다.

우리 부모님은 이른바 '캠퍼스 커플'이었다. 뉴욕의 명문 카톨릭 대학인 포덤 대학을 함께 다니셨다. 두 분 모두 제2차 세계대전이 터지기 직전에 입학하셔서 생화학을 전공했다. 동갑내기 클래스메이트였던 것이다.

아버지는 학교에 다니는 동안 비행기 조종사로 전쟁에 자원했으나 훈련을 받고 있는 도중 전쟁이 끝나는 바람에 참여하지는 못했다. 학교로 돌아와 다시 공부에 전념하고 있을 때 어머니를 만나셨다고 한다. 아버지는 틈날 때마다 우리들에게 어머니 자랑을 늘어놓곤 하셨다. "너희들 어머니가 학교에서 공부도 제일 잘하고 얼굴도 아주 예뻐 남학생들에게 인기가 많았는데 내 열렬한 구애에 어머니가 감동을 받았다"며 어깨를 으쓱해 보이셔서 우리 형제들의 폭소를 자아냈다.

실제로 어머니는 재능이 많은 분이다. 고등학교에서도 늘 수석을 놓치지 않아 미국의 모든 학교에 입학신청을 할 수 있을 정도였다고 한다. 그러나 그녀는 부모님 곁을 떠나기 싫어 그냥 뉴욕에 머물기로 하고 뉴욕의 명문 카톨릭 대학교에 가기로 결정했다. 어머니는 종종 우리들에게 "아빠를 만나기 전까지는 대학을 졸업하고 수녀님이 되려고 했었다"면서 "활달하고 잘생긴 아버지와 사랑에 빠져 결국 결혼을 하게 됐다"고 말씀하셨다.

너무 자랑을 늘어놓은 것 같아 미안하지만 정말 우리 어머니 아버지는 모델들처럼 잘생겼다. 그들은 1953년 9월 13일 뉴욕의 성당에서 결혼식을 올렸다. 신부님인 큰아버지께서 결혼식을 주도하셨다고 한다. 그리고 양가 조부모님들이 모두 살고 계시는 뉴저지에 아름다운 살림집을 차렸다.

아버지는 뉴저지의 큰 제약회사인 머크 사에 연구원으로 일했고, 어머니는 결혼 전에 모교인 포덤 대학에서 생화학 박사학위를 받은 뒤 카톨릭 사립 고등학교에서 교사생활을 시작하셨다.

나는 두 분 중에서도 특히 어머니로부터 받은 영향이 크다. 생화학뿐 아니라 역사, 문학, 시, 교회사 등 모든 분야에 해박한 지식을 갖고 있었던 어머니는 항상 손에서 책을 놓지 않으신 분이셨다. 어렸을 때 우리 형제들이 서로 싸우거나 실수를 하거나 학교에서 슬픈 일이 생겨 울고 있을 때면 어머니는 고대 그리스 로마 이야기나 시, 셰익스피어 이야기, 라틴과 프랑스 문학의 경구를 인용하면서 우리를 위로했다. 그때마다 우리는 넋을 잃고 어머니의 이야기에 귀를 기울였다. 그러면 슬픔이나 분노 같은 감정은 순식간에 사라졌다.

늘 학교 일과 직장 일로 눈코 뜰새없이 바쁘셨지만 따뜻한 미소를 잃지 않으셨던 어머니. 그러던 그녀에게 가끔 혼자만의 시간이 있었는데 토요일 오전에 피아노를 치면서 아일랜드 민요를 부를 때였다. 나는 친구들과 밖에서 놀다 목이 말라 집에 들어와 어머니의 피아노 소리와 노랫소리를 엿듣곤 했다. 비록 태어난 고향은 아니었지만 외조부모님 손을 잡고 어릴 때 자주 갔던 마음의 고향 아일랜드. 오랫동안 이어졌던 영국의 식민지를 청산했지만 아직도 남북으로 나뉘어 있는 아일랜드. 어머니는 마치 향수병을 앓는 유학생처럼 슬픈 아일랜드 민요를 부르곤 하셨다. 그럴 때면 나는 열린 문 앞에 가만히 앉아 그 노래를 들으면서 '엄마도 슬플 때가 있구나' 하고 생각했었다. 지금 생각해보면 한국 사람들의 '한'(恨)의 정서에 대해 내가 그토록 쉽게 이해할 수 있었던 것은 아마 어머니 때문이 아니었나 싶다. 오랜 식민지와 분단. 아일랜드는 한국과 비슷한 역사적 배경을 가진 나라다. 아일랜드 민요를 부르며 슬퍼했던 내 어머니…….

지금까지 살아오는 동안 많은 여자들을 만났지만 어머니처럼 영리하고 지혜롭고 따뜻한 여자를 만나보지 못했다. 어머니가 만일 결혼을 안 하고 당신이 원하기만 했다면 아주 훌륭한 교수님이 되었을 것이 분명했다. 그러나 개인적 욕심을 버리고 아내로서 어머니로서의 삶에 충실하고 헌신했다. 아버지와 우리 형제들을 위해 그녀의 모든 것을 바쳤다.

나의 아버지는 뭐랄까, 매사에 힘이 넘쳐흐르고 모든 일에 호기심이 많은 분이다. 점점 식구가 많아지면서 연구원 생활로는 생계가 어려워지자 직장에 사표를 쓰고 독립을 했다. 뉴저지에 컴퓨터와 과학 기자재를 파는 사업체를 연 것이다. 겨우 10여 명의 직원들과 함께 꾸려가는 소규모 사업체였지만 아버지는 아주 열심히 일하는 분이어서 주변에선 알짜배기 사업가로 통했다. 그의 삶 역시 어머니와 마찬가지로 가족에 대한 헌신이 전부였다. 술을 전혀 못하셔서 심지어 여행중에도 술집에 가는 일이 없었고, 저녁식사는 항상 집에서 식구들과 함께하셨다.

제일 큰형이 대학 때문에 기숙사로 들어가 뉴저지 집을 떠날 때까지 우리 열한 명의 식구들은 저녁 시간이면 항상 식탁에 둘러앉아 함께 밥을 먹었다. 그때마다 우리는 학교에서 일어난 일, 친구들 이야기로 재잘거렸고 부모님은 따뜻한 웃음으로 우리들 이야기를 들어주셨다. 그때는 그 모든 것이 당연하다고 생각했는데 지금 와 생각해보면 거의 경이에 가까운 일이다.

두 분의 결혼생활은 완벽했다. 특히 어머니에 대한 아버지의 사랑은 각별했다. 어머니를 정말 여왕처럼 대접했다. 어머니의 일을 전적으로 존중하고 지원해주셨다. 시장 보는 일은 항상 당신 몫이었고 집안 청소, 빨래, 설거지도 틈만 나면 우리 형제들을 지휘(?)하시며 팔을 걷어붙이고 나서셨다. 저녁식사를 마치고 나서 어머니가 설거지라도 하려 들면 그녀를 힘으로 밀어내면서 '나가' 하고 큰소리를 치시는 바람에 우리 형제들이 배꼽을 잡고 웃곤 했다.

어머니는 학교 일 때문에 아주 바빠 어떤 날은 학생들 과제 검토하랴, 강의 준비하랴 새벽 한두 시까지 책상에 앉아 계시곤 하셨다.

그런 날이면 아버지는 항상 아침 일찍 살금살금 어머니 곁을 빠져나와 주방으로 달려가셨다. 그리고는 아침 준비는 물론 종이봉투에 샌드위치, 과일, 주스, 쿠키 등을 담아 우리 형제들 것을 포함한 열한 개의 도시락을 만드시는 거였다. 늦잠에서 깬 우리들이 후닥닥 세수를 마치고 올 때면 식탁 위에는 우리들 각자의 이름표가 붙은 도시락들이 열병하듯 기다리고 있었다. 엄마, 아빠, 조, 크리스, 패트릭, 매리, 바바라, 컬랫, 폴, 피터, 그레고리. 그리고 식탁 한 켠에는 어머니를 위한 특별식이 준비되어 있었다. 아홉 명의 아이들이 재잘대는 통에 주방 안이 시장바닥이 될 때면 아버지는 어머니가 깰까봐 노심초사하셨다.

"어제 엄마가 밤늦게까지 일하다 주무셨으니까 아침에 일찍 깨시면 안 된다. 제발 좀 조용, 조용히들 해."

아버지는 또 어머니가 정년퇴임할 때까지 당신이 출장 때문에 집을 비우는 경우를 제외하고 어머니를 위해 빠뜨리지 않은 일이 하나 있었는데, 그것은 바로 매일 아침 어머니를 학교까지 바래다주는 일이었다. 나는 여자와 남자가 동등하게 대접받아야 함을 아버지로부터 배웠다. 가정이란 그렇게 따뜻한 마음을 가진 남녀가 사랑으로 만나 존경과 헌신으로 꾸려가는 세계라는 것을 배우며 자랐다. 과연 완전한 결혼이란 것이 있는지 잘 모르겠지만 혹 누군가가 나에게 완전한 커플을 본 적이 있느냐고 물으면 나는 선뜻 우리 부모님을 얘기하고 싶다. 나는 커오면서 이혼한 부모 때문에 고통받는 친구들을 많이 보았다. 아무리 결혼과 이혼이 자유로운 미국이라지만 부모의 이혼이 아이들에게 가져다주는 상처는 너무나 크다. 특히 감수성이 예민한 청소년 시절에 겪는 부모의 이혼과 새 엄마 아빠와의 만남은 그들을 너무도 쉽게 술, 담배, 마약, 섹스로 유혹한다.

우리 형제들은 정말, 부모님들이 서로 싸우는 것을 한번도 보지 못했다. 가끔 어떤 사안에 대해 이견을 보이신 적은 있었지만 감정적인 싸움으로 번진 적은 단 한번도 없었다.

부모님의 삶은 우리 형제들이 전부였다. 그들은 자식들을 키우는 동안 단 한번도 당신들만을 위해 옷을 산다거나 외식을 한다거나 여행을 하신 적이 없었다. 어머니는 한번도 얼굴에 화장을 하신 적이 없다. 그 흔한 립스틱도 안 바르시고 손톱에 매니큐어 한번 칠하지 않으신다. 결혼반지 외에는 목걸이나 귀고리조차도 안 하신다. 부모님의 삶은 나에게 살아 있는 교과서였다. 그분들은 우리에게 삶에서 중요한 것이 무엇인가를 몸으로 가르쳐준 스승들이었다.

부모님은 우리 형제들을 키우면서 단 두 가지 정도 주문을 하셨다. 성당에 가는 것과 열심히 공부하는 것. 부모님과 형제들의 손을 잡고 아홉 명의 올망졸망한 아이들이 주일마다 성당 미사에 참석하는 것은 뉴저지 우리 동네에서는 큰 구경거리였다. 지금도 내 머릿속에는 성당 바닥에 무릎을 꿇고 앉아 오랫동안 간절하게 기도를 올리는 두 분의 모습이 새긴 듯 선명하다.

부모님은 종교적 생활과 함께 '배움'을 인생에서 가장 소중한 가치라고 생각하시며 우리를 키우셨다. 덕분에 나를 비롯한 모든 형제들이 미국의 명문대학을 졸업해 주위 사람들의 부러움을 샀다.

말은 별로 없지만 생각이 깊은 큰형 조는 뉴저지 러트거스 대학을 나와 현재 미국에서 손꼽히는 증권회사인 피델리티에서 컴퓨터 프로그래머와 조사분석가로 활약하고 있다. 활달하고 명석한 둘째 형 크리스토퍼는 당초 코넬 대학에 입학해 예일 대학에서 경제학 석사를 땄지만, 나중에 전공을 바꿔 컬럼비아 대학에 다시 입학해 뉴저지 의과대학을 졸업한 이색적인 학력의 소유자다. 지금은 내과의사로 뉴저지에 큰 병원을 운영하고 있다. 마음씨가 고운 셋째형 패트릭은 컬럼비아 대학에서 경제학을 전공하고 지금은 월가의 한 증권회사에서 일하고 있다.

그리고 내 귀여운 남동생들 피터와 그레고리는 쌍둥이다. 둘 다 아직 미혼이다. 나보다 두 살이 어리다. 그들은 쌍둥이지만 생김새나 성격이나 사는 스타일이 완전히 다르다. 피터는 갈색 눈과 갈색 머리칼을 갖고 있지만 그레고리는 파란 눈에 빨강 머리칼을 가졌다.

피터는 예일 대학에서 경제학을 전공해 나의 대학 1년 후배이며 세계적으로 손꼽히는 펜실베이니아의 와튼 스쿨에서 경영학 석사 학위(MBA)를 받았다. 지금은 뉴욕에 본사를 둔 시티뱅크에서 중견간부로 일하고 있는데 그의 연봉은 가히 천문학적이다. 얼굴도 잘생겨서 여자친구가 끊이지 않는다. 외모와 패션에 신경을 많이 쓰고 신차가 나왔다 하면 바꿔대는 전형적인 뉴욕의 여피족이다.

동생 그레고리는 완전히 딴판이다. 우리 집안에서 예술적 재능이 가장 뛰어난 그레고리는 미국 예술대학 중 가장 명문인 로드아일랜드 대학을 나왔다. 그곳에서 회화와 조각을 전공한 후 이태리에서 몇 년 살기도 한 그레고리는 배고픈 예술가가 다 그렇듯 뉴욕에 허름한 아파트를 빌려 혼자 살고 있다.

하루하루 생계를 걱정해야 하는 가난한 예술가 생활에 아주 만족하고 있다. 그림과 조각품을 팔아 겨우 아파트 임대료 내는 데 급급하고 의료보험도 없이 옷도 늘 허름한 것을 입고 다니면서도 항상 웃는 얼굴이다. 돈을 많이 버는 다른 어느 형제들보다 낙천적이며 건강하다. 그레고리는 형제들 중에서 나와 가장 친하다. 내가 걷고 있는 구도의 길을 제일 잘 이해해주고 응원해주는 사람이 바로 그다.

큰누나 매리는 뉴욕에 있는 병원에서 일하는 간호사다. 통이 큰 여장부 스타일이다. 강하면서도 따뜻한 마음씨에 탁월한 유머 감각으로 가족 모임에선 늘 분위기를 이끄는 주인공이다.

둘째누나 바바라는 전형적 커리어 우먼. 뉴저지에 있는 과학기술대학을 졸업해 지금은 성공한 기술자다. 그녀는 전자회사 같은 대규모 공장의 정화 시스템 전문가로 일한다. 먼지 하나 없어야 불량품이 생기지 않는 전자회사, 공장 등에서 쓰는 공기정화기나 먼지정화기 등을 만든다. 어떤 때는 정부 주문도 받아 정부가 제시한 환경 규제에 맞는 정화 시스템을 만들기도 하고 고치기도 한다. 여기저기서 부르는 데가 많아 늘 일에 푹 빠져 살다보니 아직 미혼이다. 뉴욕의 모든 공장뿐 아니라 폴란드, 베네수엘라, 튀니지의 전자회사와 영국, 중국 정부 일까지 도맡아 해 1년에 반은 해외에서 지낸다. 카리스마가 있고 독립적인 성격, 금발머리에 날씬한 몸매로 모델처럼 아름다운 용모를 갖고 있어 항상 따르는 남자 친구들이 많다. 재규어 스포츠카와 일본 차인 렉서스를 몰고 다니며 맛있는 식당만 골라 찾아다니는 스타일리스트다. 휴가 때면 멕시코 해안이나 캐나다 스키장에서 살다시피 한다.

셋째누나 컬랫은 변호사다. 퍼스트레이디인 힐러리 클린턴이 졸업한 보스턴에 있는 웰슬리 여대 생화학과를 졸업한 뒤 로스쿨을 졸업하고 변호사가 되었다. 지금은 유전자 관련 특허에 관한 변호 업무를 맡고 있다. 바바라 누나와 달리 컬랫 누나는 어머니를 닮아 아주 소박하다. 화장도 하지 않고 액세서리도 질색을 해 바바라 누나로부터 늘 '촌스럽다'는 핀잔을 듣는다. 그렇지만 마음은 완전히 '천사표'다.

그리고 마지막으로 나.

하버드 대학원을 다니다 불현듯 출가를 해버린 나를 바라보는 부모님의 눈길을 처음엔 받아들이기 힘들었다. 아홉 형제 중에서 유난히 영적으로 성숙했다며 특별한 애정을 보여주신 어머니의 실망은 이만저만이 아니었다. 어머니 아버지로서는 종교가 다른 것은 고사하고 듣도 보도 못한 한국인 스님에 이끌려 아예 한국에 눌러 살고 있는 아들을 이해하기란 힘든 일임에 틀림없다.

머리를 깎고 삭발한 채로 한국 슈퍼에서 김치를 사들고 출가 후 처음 집에 들렀던 날, 어머니는 그래도 내 입장을 우선 들어보시겠다며 내 생각을 존중해주셨지만 아버지는 충격을 받아 아예 나와 눈도 마주치기 싫어하셨다. 몇 년 지난 뒤에는 그래도 식탁에 마주앉긴 하셨는데 여전히 눈을 내리깔고 말씀하셔서 마음이 저밀 듯 아팠다.

두 분의 마음이 겨우 가라앉고 나를 받아들이신 것은 아주 최근의 일이다. 수행자의 길이 다르지 않음을 이해해주셨고 출가 후 두 분께 더 따뜻하게 마음을 쓰는 아들의 마음을 헤아리셨는지 불교에도 관심을 많이 갖고 불교책도 열심히 읽으신다. 지난해에는 숭산스님의 법문을 내가 영어로 엮은 《선의 나침반》(The Compass of Zen)이 나오자마자 보내드렸더니 아주 감명 깊었다고 답장을 보내오셨다.

요즘도 아주 가끔 집에 전화를 한다. 아무리 지구 반바퀴나 돌아

ⓒ이라올 TV

나는 나 자신을 찾아야 한다.
그리고 이 세상 고통의 본질에 대한 이 심오한 질문에 대답해야 한다.
그 수많은 철학책, 어렸을 때부터 배우고 가르침을 받았던 종교는
나에게 해답을 주지 못했으므로 나 혼자서 그것을 찾아야만 한다.

가야 하는 곳에 살고 있는 불효자이긴 하지만 크리스마스 같은 명절날엔 그냥 지나치기가 어렵다. 한국에 와 살면서부터는 12월이 항상 동안거*철이기 때문에 미국에 가는 것은 엄두를 내지 못한다. 그래서 어쩔 수 없이 전화로 대신하는데 그때마다 '여기는 모두 편안하니 걱정하지 말고 네 건강에 각별히 신경써라'라며 아들에게 부담을 주지 않으려고 노력하시는 두 분이다.

여든이 넘은 오늘날까지 서로 사랑하고 존중하며 해로하시는 우리 부모님.

평생을 자식들을 위해 모든 것을 다 바치신 분들. 나는 부모님을 정말 존경한다. 그리고 항상 자랑스럽다. 무엇보다 두 분에게 부끄럽지 않은 수행자가 되고 싶다.

* 승려들이 겨울 90일, 곧 음력 10월 16일부터 이듬해 정월 15일까지 한곳에 머물면서 수행하는 일.

가풍

초등학교 다닐 때 나는 말썽꾸러기였다. 그렇다고 남들에게 해를 끼치는 장난을 많이 한 것이 아니라 선생님들에게 곤혹스런 질문을 자꾸 해대 버릇없는 아이로 찍힌 것이다.

좀 쑥스러운 고백이긴 하지만 어렸을 때부터 '머리가 좋다'는 얘길 많이 듣고 자랐다. 유치원 가기 전부터 형과 누나들 어깨 너머로 말과 글을 다 익혀 책을 줄줄 읽었다. 형제들 모두 머리가 좋았지만 그중에서 내가 유독 빨랐기 때문에 부모님들은 집안에 '천재'가 났다고 자랑이 대단하셨다. 초등학교 들어가면서부터는 〈뉴욕 타임스〉를 매일매일 탐독해 어른들 대화에도 곧잘 끼여들어 한마디씩 하곤 했다.

그러고 보면 나는 누나나 형들에게 받은 영향이 아주 컸던 것 같다. 간혹 형제 많은 집 막내들이 또래보다 성숙한 경우가 있는데 어렸을 때부터 형이나 누나들이 읽은 책을 물려받아 읽는다든지 자기

보다 나이가 많은 형제들의 대화를 옆에서 듣게 되는 경우가 많아 또래보다 일찍 세상에 눈을 뜨게 되기 때문이라고 생각한다. 내 경우가 바로 그랬다. 아홉 형제들 중 일곱째인 나는 '똑똑한' 형과 누나들이 보던 책을 어렸을 때부터 자연스럽게 읽게 되었다.

또 부모님들은 무슨 일이 있어도 저녁식사만큼은 가족들이 함께 해야 한다는 원칙을 세우셨기 때문에 우리 형제들은 매일 저녁식사를 함께하면서 대화를 나눴다. 크게는 베트남 전쟁, 워터게이트 사건 같은 국제 정치적인 문제에서부터 작게는 학교생활 이야기까지 매일 평균 두 시간 정도는 함께 얘기를 나눴다. 역사, 문화, 사회 등 등 우리 식탁에 오르지 않는 이야기라곤 없었다. 부모님들은 보수적인 미국의 상류층이긴 했지만 우리들의 자유로운 대화에 늘 귀를 쫑긋 기울이셨다. 정히 필요할 때 가끔 한마디씩 던지시는 게 전부였다.

베트남 전쟁이 한창이던 1970년대 초반 나는 유치원에 다녔는데 그 무렵 신문과 방송은 온통 베트남 전쟁 이야기와 이에 반대하는 젊은이들의 반전시위 일색이었다. 이는 전쟁이 사실상 막을 내리는 1975년까지 계속됐다. 그즈음 우리들의 저녁식사도 자연스럽게 베트남 전쟁 얘기를 필두로 한 정치적인 토론장이 되었다. 재미있는 것은 베트남 전쟁을 둘러싸고 부모님들을 비롯한 형 누나들 대부분이 미국 입장을 옹호하는 편이었는데 유독 셋째형 패트릭만큼은 좀 다른 견해를 보였다.

패트릭 형은 미국이 어서 빨리 베트남에서 철수해야 한다고 주장했다. 오랫동안 프랑스의 식민 통치 아래 살아온 베트남은 서양인들을 좋아하지도 않을 뿐더러 서양 사람들의 도움도 필요없다고 생각한다는 것이다. 만약 베트남 사회에 문제가 있다면 그들 스스로 풀어야지 다른 나라가 감 내놓아라 배 내놓아라 나설 일이 아니라는 것이다. 미국이 베트남 전쟁에 개입한 것은 큰 실수이며 따라서 하루 빨리 베트남에서 손을 떼야 한다는 것이었다.

패트릭 형은 물론 빨갱이가 아니다. 그는 공산주의나 사회주의에 대해서도 경멸에 가까운 비난을 퍼부어댔으며 구소련이나 동구 사회주의 국가 통치자들에 대해서도 입에 침을 튀겨가며 비판을 해댔다. 그는 지금 뉴욕 월가에서 '잘나가는' 증권맨으로 일하고 있는 미국 자본주의의 일꾼이다.

패트릭 형은 미국의 명문인 컬럼비아 대학 경제학과를 졸업했는데 머리도 좋은 데다 형제들 중에서도 창의적이고 자유분방한 생각을 갖고 있었다. 사물을 보고 분석하는 눈이 남달랐다. 더구나 나는 패트릭 형과 어렸을 때부터 같은 방을 썼기 때문에 형제들 중에서도 그와의 대화가 제일 많았다. 그는 나보다 열 살이나 많았지만 내 견해를 존중해줬고 친구처럼 동등하게 대해주었다. 나는 무엇이든 그에게 물어보았다. 특히 신문을 읽다가 모르는 것이 나올 때는 항상 그에게 달려갔다. 그러므로 어렸을 때부터 내 생각의 폭과 깊이가 넓고 깊어진 것은 전적으로 그의 몫이 크다.

이같은 분위기에다 종교적 전통을 강하게 고수해온 집안에서 자란 나는 어렸을 때부터 '진리'에 대해 자연스럽게 관심을 갖게 되었다. 늘 겉으로 드러난 것보다는 이면에 감춰진 '진짜'가 무엇일까 하는 호기심을 갖고 사물을 보는 버릇이 생겼다. 어릴 적 성경에서 읽은 예수님의 말씀은 철이 들 무렵부터 내 머릿속에 새겨져 나의 인생관이 되었다.

"진리가 너희를 자유케 하리라."

예수님은 또 이렇게 말씀하셨다.

"진리를 찾으려면 가족을 떠나 십자가를 지고 나를 따르라."

어렸을 때부터 왠지 그런 글귀를 성경에서 읽을 때마다 강한 신념이 생기곤 했다.

'그럼, 진리를 찾고 진리를 향한 삶을 살려면 그 정도 '독한' 마음을 먹어야지. 그렇다면 진리란 과연 무엇일까, 무엇이 옳은 것일까.'

이런 의문들은 나를 경험주의자로 만들었다.

모든 것에 두려움을 갖지 말고 부딪혀보자, 라고 생각하고 행동하다 보니 나의 학교생활은 여느 모범생들과는 다를 수밖에 없었다.

이상한 아이, 폴

한국도 사립학교와 공립학교가 있지만 미국과는 약간 다르다. 미국의 공립학교는 등록금이 전액 면제다. 대신 사립학교 등록금은 아주 비싸다. 그렇다고 공립학교 교육의 질이 떨어지는 것은 아니지만 사립학교는 상류층 부모들이 비싼 돈을 들여 자식들을 가르치기 때문에 교육의 질이 아무래도 차이가 날 수밖에 없다. 거기다 카톨릭계 사립학교는 등록금이 더 비싸고 교육의 질도 훨씬 높다.

평생을 독신으로 지내야 하는 신부님이나 수녀님들이 생계수단의 차원을 넘어 사명감으로 똘똘 뭉쳐 아이들을 가르치기 때문에 여느 학교와는 다르다. 그들은 수업시간이 끝난 뒤에도 학생들과 대화하려 노력하고 밤이고 낮이고 옆에서 그들의 상담자가 되어준다. 게다가 규율도 아주 엄해 조금이라도 일탈행동을 하면 바로 퇴학이다. 그러나 공립학교에서는 아이가 아무리 큰 잘못을 저질렀다 해도 퇴학시킬 수가 없다. 사립학교는 또한 부모님들이 교육비를 부담하기 때문에 학생들이 부모님에 대한 미안함과 죄스러움을 함께 가져 수업 분위기도 좀더 진지하다.

내 위의 형, 누나들은 모두 카톨릭계 사립 초등학교에 다녔다. 그런데 나는 공립학교에 들어갔다. 다름 아닌 경제적 부담 때문이었다. 당시 형, 누나들은 모두 사립 중고등학교와 대학교에 다니고 있었기 때문에 우리 부모님은 교육비를 대느라 허리가 휠 지경이었다. 부모님이 아무리 열심히 일하신다 해도 한계가 있는 법. 중고등학교는 사립으로 보내줄 테니 초등학교는 공립을 가라는 것이 당시 부모님들의 부탁(?)이었다. 물론 나는 상관없었다. 그저 이제부터는 학교에 나가 친구들과 함께 공부한다는 사실 자체가 신이 났다. 당시 우리집 거실에는 백과사전 시리즈로 가득한 책장이 있었는데, 나는 심심하면 몇 시간씩이고 앉아 백과사전을 A부터 Z까지 읽어대곤 했다. 늘 책으로만 대하던 가르침들을 이제 학교에 들어가 선생님들에게 배울 수 있으니 그 얼마나 신나는 일인가.

그런데 이런 나의 생각은 여지없이 빗나갔다. 학교에서 가르치는 것들은 이미 다 알고 있던 것들이었고, 알파벳부터 시작해 받아쓰기와 읽기로 일관하는 학교 수업에 나는 처음엔 당혹감을 느끼다 나중엔 싫증을 내다 못해 거의 미칠 지경이었다. 수업이 재미있을 리 만무했다. 더 큰 문제는 학년이 높아질수록 선생님들이 가르치는 내용에 의심이 들기 시작했다는 것이다. 그리고 그것은 4학년 1학기 때, 초기 미국 역사를 배우면서 완전히 극에 달했다.

나는 패트릭 형에게서 초기 미국 역사에 대한 이야기를 많이 들었다. 그런데 형으로부터 들은 얘기는 '미국의 초기 역사는 인디언을 속이고 그들을 무자비하게 죽인 살육으로부터 시작된 역사'라는 것이었다. 패트릭 형은 자세하게 설명을 해줬다.

"처음 이 땅의 주인들은 우리 같은 백인들이 아니라 인디언들이었다. 그들은 원주민인 인디언들에게 '땅을 빌려 달라' '곡식을 빌려 달라'며 접근했다. 그리고 영어를 모르는 인디언들을 으르고 협박해 강제적으로 계약서에 사인하게 했다. 또 술과 총으로 인디언들을 유혹했다. 처음 보는 신기한 물건에 관심을 보인 인디언들은 결국 그것들이 자신들의 삶을 파멸로 이끄리라는 것은 모르고 무조건 백인들이 가져온 물건에 호기심을 보였다. 술과 총은 인디언 문화와 정신을 더럽혔고 종국에는 자기들끼리 서로 총을 들고 싸우게 만들었다. 그 틈을 타 백인들이 완전히 이 땅을 장악하게 된 것이다. 그 과정에서 많은 인디언들이 죽었다. 심지어 미국 군인들은 인디언이 살고 있던 땅을 완전히 초토화시키고 그들을 격리시키는 인종 청소를 자행했다. 한편으로는 '비옥하고 기름진 땅을 주겠다'고 유혹한 뒤 늪지대인 미국 남부로 끌고 갔다. 물고기가 많이 잡히는 곳에 살게 해주겠다고 속인 뒤 플로리다에 그들을 격리했다. 수많은 인디언들이 난민의 신세로 전락했다. 특히 겨울에는 헐벗고 굶주린 인디언들의 시체가 여기저기 널릴 정도였다. 미국 군인들은 심지어 부녀자 강간, 강도, 약탈을 서슴지 않았으며, 인디언들의 정신과 문화를 송두리째 파괴했다."

그런데 4학년 초 역사시간에 만난 선생님의 설명은 그와 완전히 다른 이야기였다.

"백인들은 우매한 인디언들에게 문화와 문명을 전해준 등불이자 빛이었다. 그들은 심지어 너무 무식해서 우리의 우수한 문명을 받아들이려고 하지 않았다. 백인들은 빛과 진리가 없는 어두운 땅에 발달된 사회 시스템을 가르쳐준 등대가 된 것이다."

의혹에 싸인 나는 머뭇거리다 용기를 내 손을 들었다.

"선생님, 그렇지만 백인들이 인디언들을 많이 죽였다고 들었는데요."

"그때 죽은 인디언들은 나쁜 인디언들이었단다. 그들은 우매한 데다 본능적으로 싸움을 좋아해서 자기들을 도와주려고 한 서양 사람들에게 적의를 갖고 먼저 싸움을 걸어오기도 했지. 그 과정에서 인디언들이 죽는 것은 당연하지 않겠니?"

나는 더이상 말을 잇지 못하고 고개만 끄덕거렸다. 그리고 그날 밤 패트릭 형을 만나자마자 따져 물었다. 형은 이렇게 말했다.

"판단은 네가 하는 거야. 나는 단지 좀 다른 시각에서, 그리고 진실이라는 측면에서 너에게 정보를 제공한 것뿐이야. 어느 것이 옳은지는 네 스스로 결정해야 한다."

"그런데, 형…… 서양 사람들이 인디언을 왜 그렇게 많이 죽였어요?"

"그건 여러 가지 측면이 있긴 하지만 인디언들이 백인들이 믿는 '신'을 안 믿었던 이유가 가장 컸다고 생각해. 백인들은 신을 믿지 않은 그들이 우매하다고 생각했고 노예나 동물과 다름없다고 생각한 거야."

나는 더욱더 혼란스러워졌지만 선생님 얘기보다는 패트릭 형 얘기가 더 믿음이 갔다. 패트릭 형은 마음씨가 착한 데다 정직했기 때문에 나는 형의 말이면 '팥으로 메주를 쑨다'고 해도 믿을 판이었다.

그러다 보니 선생님들의 이야기보다 우리집 저녁 식탁에서 배우고 듣는 것들이 더 흥미진진하고 재미있었다. 그리고 그 둘 사이에는 아주 커다란 견해 차이가 있다는 것을 알게 되었다. 결국 나는 학교 공부에 흥미를 잃고 수업시간에 장난만 치는 문제아로 변하게 되었다. 선생님들에게 수없이 질문을 퍼부어댔고 마음에 들지 않는 선생님 수업시간은 아예 들어가지도 않았다. 집에서 갖고 온 누나, 형들이 읽던 소설책이나 수필책을 책상 밑에 놓고 수업시간에 몰래 읽지를 않나, 선생님이 한눈 파는 사이 멀리 앉아 있는 친구들에게 공을 던진다든지 하는 대담한 장난을 하질 않나, 이도저도 안 되면 멍하니 앞을 쳐다보고 손가락으로 따다닥 따다닥 손장난을 하며 머릿속으로는 온갖 상상의 나래를 펴곤 했다.

그 덕에 고생은 나의 부모님이 하셨다. 나는 선생님들께 꾸중을 들을 때마다 벌로 반성문을 써야 했고 그때마다 우리 부모님들은 학교로 선생님을 찾아와 대신 꾸중을 들으셔야 했다.

결국 4학년 1학기 말, 담임선생님은 우리 부모님을 부르시더니 "폴이 선생님들 말을 안 듣는 것은 사실이지만 영리하고 똑똑하다는 것은 알고 있습니다. 그리고 폴이 이미 교과서 내용을 다 알고 있기 때문에 학교공부에 흥미를 잃었다는 것도 압니다. 폴은 더이상 배울 것이 없습니다. 그러니 시험날만 시험을 보게 하고 수업시간에는 참석하지 않아도 될 것 같습니다. 대신 매일 등교는 하되, 학교 2층 도서관에서 책을 읽도록 시키겠습니다. 도서관 안에는 학교공부가 어려워 수업을 따라오지 못하는 아이들을 위한 특별교실이 있습니다. 폴에게 그 아이들의 과외선생 노릇을 시킬 작정입니다."

그리하여 나는 매일 아침 등교해 교실이 아닌 도서관에 올라가서 내 또래, 혹은 나보다 나이 많은 아이들을 데리고 받아쓰기와 읽기를 시키고 가르치는 '과외선생' 노릇을 하게 되었다(그 학교 창립

이래 처음 있는 일이었음은 물론이다). 그리고는 시험날이 되면 내 교실 책상에 앉아 시험을 봤다. 물론 그래도 항상 성적은 모두 A였다. 그렇다고 내가 왕따는 아니었다. 오히려 친구가 너무 많았다. 워낙 싸우는 것을 싫어했지만 또래 아이들보다 키가 컸기 때문에 다른 아이들이 날 함부로 건드리지 못했다. 특히 흑인 친구들이 많았고 매사에 옳은 것은 옳다고 주장하는 강한 성격 때문에 따르는 친구들이 많았다.

그러던 어느 날 4학년이 끝나갈 무렵, 드디어 교장 선생님이 우리 부모님을 호출하셨다.

"이 아이는 더이상 우리가 가르칠 능력이 없습니다. 학칙상 퇴학 처리는 할 수 없으니 다른 공립학교를 보내시든지 사립학교로 전학을 시키십시오."

그리하여 나는 마침내 형과 누나들이 졸업한 성마리아 카톨릭 사립초등학교로 전학을 가게 된다. 자식들 교육비 대는 데 허리가 휘는 부모님 입장에서 보면 불효를 했음에 틀림없었다.

조금 미안한 마음이 들긴 했지만 나는 등교 첫날부터 이전 학교와는 완전히 다른 분위기에 압도됐다. 우선 학생들이 모두 교복을 입고 있었다. 푸른색 바지에 하얀 와이셔츠, 그리고 푸른 넥타이가 정말 멋있어 보였다. 아침마다 호랑이 수녀님이 교문 앞에 서서 우리들 복장을 체크하셨고, 지각이나 무단결석 등은 용납되지 않았다. 거기다 성마리아 초등학교는 우리 식구들이 다니던 성당 바로 옆이었다. 그 성당의 신부님과 수녀님들 중에는 초등학교 선생님을 겸하고 계신 분들도 많았는데 학교에 들어서자마자 그분들이 나를 알아봐주어 아주 기분이 좋았다.

"오 폴 뮌젠이로구나. 그래, 오늘부터 우리 학교 학생이 되었다고? 너무 반갑구나. 잘 지내자."

"네가 뮌젠 박사님네 일곱째 아이로구나. 우리는 너희 가족들에 대한 기대가 아주 크단다. 네 누나와 형들은 우리 학교의 자랑이야."

누나와 형들이 모두 그 학교를 다녔고 또 공부를 다 잘했기 때문에 선생님들은 우리 형제들을 하나하나 기억하고 계셨다. 복도나 운동장을 지나칠 때마다 마주치는 선생님들이 "네가 패트릭 동생이로구나" "크리스 동생이 바로 너니?" 하는 인사를 자주 받았다.

나는 부모님께 부담을 드린다는 미안한 심정에다 누나 형들에게 뒤지지 말아야 한다는 경쟁심까지 겹쳐 학교 생활에 전념하기로 했다. 마음 한편에서는 이제 내 맘대로 장난치고 놀 수 없다는 아쉬움도 물론 있었다.

천당 끝, 지옥 시작! 나는 완전히 '새사람'이 되었다. 종교적 신심도 더욱 깊어져서 주일날 성당에서 미사를 돕는 복사(服事, altar boy)직까지 맡게 되었다. 복사는 미사가 시작하기 전에 일찍 성당에 도착해 청소는 물론 마이크 점검에서부터 촛불 켜기 등 미사 준비를 하고, 미사가 시작되면 신부님에게 포도주를 건네주거나 책을 들어주는 일도 한다. 힘든 일이긴 하지만 어린 나이에 발끝까지 내려오는 긴 예복을 입고 많은 사람들 앞에 나서는 일이 여간 자랑스러운 게 아니다. 더구나 선생님으로 모시고 있는 신부, 수녀님들을 보다 가까이서 만날 수 있는 기회다. 많은 어린이들이 서로 하려고 덤비는 일이라 신부, 수녀님들이 특별히 심사를 하셔서 뽑는다.

그런데 내가 그 일을 맡게 된 것이다. 나는 너무 기뻤다. 그리고 매주 토요일 밤에는 다음날 미사 준비에 대한 설렘으로 잠을 설친 적도 있었다.

나는 학교생활에도 성공적으로 적응했다. 공부도 아주 열심히 했고 선생님들 말씀에도 순종했다. 야구경기 등 스포츠 활동에도 적극적이었다. 선생님들과 학생들 모두 나를 좋아했다.

미국 속담에 '뉴 키드 온 더 블록'(New kid on the block)이라는 말이 있는데 이 속담에서 이름을 딴 그룹이 한때 선풍적인 인기를 끈 적이 있다. 한국에도 내한공연을 해 열광 팬이 숨지는 사고까지 났을 정도로 인기가 높았던 것으로 알고 있다. '뉴 키드 온 더 블록' 이란 말은 '최근에 이사온 이웃집 사람'이라는 뜻의 미국 구어인데 아주 특별한 이웃이 새로 이사를 와 눈길을 끌 때 그 사람을 일컬어 사용한다. 나는 완전히 '뉴 키드 온 더 블록'이었다. 중간에 전학온 친구가 너무 튀니까 싫어하는 친구들도 있었다. 특히 여자친구들한테 러브 레터를 많이 받자 기존의 스타(?)들이 노골적으로 내게 도전장을 던져왔다.

그 과정에서 나는 평생의 친구 하나를 사귀게 되었는데 그의 이름은 스티브 엔젠버거이다. 그는 내가 전학 오기 전까지만 해도 우리 학교 최고의 스타였다. 공부 잘하지, 운동 잘하지, 얼굴까지 잘생겼다. 우리는 묘하게도 또 같은 반이었다. 본능적으로 서로 적수임을 간파한 우리는 처음에는 눈도 잘 안 마주쳤다. 그러던 어느 날, 야구를 같이 하게 되었는데 그가 룰을 어기는 바람에 내가 정면으로 대들었다. 논리로는 나를 당해낼 재간이 없다고 생각한 스티브는 많은 아이들이 보는 앞에서 내 코앞에 주먹을 들이밀며 "좋다. 두고 보자. 가만두지 않겠다"고 을렀다.

그는 터프가이 그 자체였다. 머리도 좋아서 재치 있는 농담도 곧잘 했는데 동네 미식축구 선수까지 할 정도로 운동을 너무 좋아해 학교성적은 나보다 못했다. 그 일 이후 물론 본격적인 격투(?)는 없었지만 스티브와 나는 서로에 대해 관심을 갖게 되었다. 그리고 야구와 클래식을 좋아하는 공통점이 있다는 것도 알게 되었다.

그리하여 우리는 평생의 지기가 되었다. 우리는 완벽한 파트너였다. 내가 다소 '머리 지향적'이라면 그는 '행동 지향적'이었다. 그는 나에게 세상을 사는 또 다른 새로운 길을 열어준 사람이었다.

알고 싶을 뿐

그럭저럭 평온한 나날이 지속됐지만 내 마음속 의문들이 완전히 풀린 것은 아니었다. 카톨릭 사립학교로 전학오고 성당 복사직을 맡게 되면서 종교적 신심은 더욱 강해졌지만 다른 한편에서는 여전히 종교에 대한 의문들이 함께 커갔다. 패트릭 형과의 대화는 계속되었다. 내가 새 학교로 전학을 가게 되면서 성당도 열심히 다니고 하자 자연히 종교적인 주제가 화제가 되었고, 나는 형에게 앞으로 크면 신부가 되겠다는 얘길 자주 했다. 형 역시 독실한 카톨릭 신자였기 때문에 '좋은 신부가 되라'고 하면서 교회 역사에 대한 재미있는 얘길 많이 들려주었다. 그중에서도 나는 특히 중세 카톨릭 교회의 횡포에 대해 흥미가 갔다.

"십자군전쟁을 하고 사람을 죽인 암흑의 중세 한가운데 교회가 있었다. 나중에 카톨릭 신부들은 돈을 내면 죄까지 면제해준다며 사람들을 현혹했다. 스페인을 포함한 전유럽에는 '신의 이름'으로 서

슬 푸른 종교재판이 자행되었다. 개종을 강요하는 것은 물론 말을 듣지 않으면 사람을 생으로 불에 태워 죽이는 만행도 서슴지 않았다. 인디언들에게는 백인들이 믿는 신을 믿지 않는다며 동물 취급을 했고 남미 같은 곳에는 선교사라는 이름을 내걸고 종교인들을 보내 그곳 문화를 파괴하고 사람들을 죽이는 일도 했다." (독자 여러분들 중에 로버트 드 니로 주연의 〈미션〉이라는 영화를 본 사람들은 잘 알 것이다.)

형은 이런 내용을 담은 중세 교회사에 대한 책을 나에게 빌려주곤 했는데 그것들은 대부분 하버드 대학 교수님들 같은 지식인들이 쓴 책이었다. 형은 또 현대사 이야기를 들려주면서 종교인들의 소극성을 비판하기도 했는데, 특히 나치 통치 기간 동안 카톨릭 교회가 아무 저항도 하지 않았다는 사실을 강조했다. 그리고 진정한 종교인의 역할이란 그런 것이 아니라고 덧붙였다.

나는 형의 이야기를 들으며 이런 생각을 했다. 어떻게 남에게 자기가 믿는 종교만이 옳다며 이를 믿으라고 강요할 수 있을까.

당시 우리집 길 건너 바로 앞에는 아주 아름다운 교회가 하나 있었다. 건물도 웅장한 데다 그곳에서는 항상 아름다운 성가가 울려퍼졌다. 그런데 우리 부모님들은 그 교회에 가지 않고 오히려 차를 타고 10분쯤은 가야 하는 먼 성당에 다니셨다. 나는 그게 의문이었다. 왜 가까운 교회를 놔두고 먼 곳을 다니는 걸까.

어느 날 집 앞에서 야구를 하다 야구공이 그 교회 담장을 넘는 바람에 그곳에 들어갈 기회가 있었다. 똑같은 성경책, 똑같은 십자가. 그런데 그곳 목사님이 나를 바라보는 눈길이 이상했다. 괜히 뭔가 꺼리시는 얼굴이었다. 왜 그럴까.

어느 날 어머니께 여쭈었다.

"엄마, 왜 우리는 저 교회에 가질 않나요?"

앞에서도 얘기했지만 나의 어머니는 열린 사고방식을 가진 분인데다 끊임없이 공부하시고 모든 일에 관심이 많은 지식인이었다. 그런 어머니도 나의 질문에는 마치 내가 보아서는 안 될 것을 보았다는 표정으로 이렇게 대답하시는 거였다.

"안 돼, 안 돼. 그 교회는 가면 안 돼. 그 교회는 우리가 다니는 성당과는 다르단다."

나에게는 논리적으로 납득이 잘 안 되는 대답이었다. 나중에 알게 되었는데 그 교회는 개신교 교회였다. 그러나 그렇다고 해서 개신교든 카톨릭이든 똑같은 스승(예수님)을 믿고 똑같은 성경으로 똑같은 가르침을 받고 똑같이 아름답고 웅장한 건물에서 똑같은 예수님 십자가 밑에서 똑같은 노래를 부르는데 무엇이 다르단 말인가? 예수님께서는 "진리가 너희를 자유케 하리라"고 하셨는데 진리란 것이 어떤 때는 맞고 어떤 때는 틀리는 불일치가 있을 수 있는가. 어떤 상황과 어떤 조건에서도 흠이 없는 완벽한 결정체여야 하지 않은가.

또한 성당 복사직으로 일하면서 나는 또 새로운 경험을 하게 됐다. 미사 때 나는 사람들 앞에 서서 진행을 도왔는데 그것은 자리에 앉아 미사를 볼 때와는 완전히 다른 느낌이었다. 앞에서 보니 사람들의 표정이 별로 진지하지 않았고, 말로는 신을 사랑한다고 하면서 주일마다 신의 축제에 참여하게 되어서 감사하다고 했지만 정작 얼굴 표정은 즐겁지 않아 보였다. 그들은 마지못해 성당에 오는 것처럼 보였고 표정은 무뚝뚝했으며 마치 뭔가에 쫓기는 사람들처럼 미사 내내 시계를 들여다보는 사람도 있었다. 심지어 신부님도 마찬가지였다. 어떤 날은 미사 시작 전에 가끔 오르간 연주자에게 '성가가 너무 길면 바쁜 일요일에 할 일이 많은 신도들이 싫어하고 지루해하니까 되도록 짧은 성가를 연주하라'고 주문하기도 했다.

미사는 하느님과 예수님을 모시는 기쁨의 축제인데 왜 사람들은 그것을 의무적인 것으로 받아들일까. 어린 나에게는 이 모든 것이 의문투성이였다.

이런 의문들은 드디어 학교생활에까지 이어졌다.

6학년 어느 날 채플 시간이었다. 당시 채플을 담당했던 한 수녀님이 계셨는데 나는 그 수녀님에게 당돌한 질문을 했다가 곤욕을 치렀다. 지금 그 수녀님의 이름은 기억나지 않는다. 그날 주제는 예수님의 사랑에 관한 것이었다.

"예수님은 사랑이다. 성당은 예수님의 몸이다. 그러므로 성당에 들어가는 우리는 예수님의 몸에 들어가는 것처럼 경건해야 한다."

이윽고 강의가 끝날 무렵 수녀님은 우리에게 질문이 있으면 하라고 말씀하셨다. 나는 망설이다 손을 들었다. 지금까지 마음속에 묻어왔던 의문들을 풀고 싶었다. 수녀님은 사랑스러운 눈길을 내게 보냈다. 나는 침을 삼키며 자리에서 일어섰다. 그리고 최대한 예의를 갖춰 수녀님께 여쭈었다.

"수녀님, 예수님이 사랑이라면 왜 종교가 다르다는 이유로 다른 사람을 죽이는 일이 있는 건가요?"

순간 수녀님의 얼굴에 당혹스러움이 스쳤다. 잠시 아무 말씀이 없으셨다. 그러더니 점점 얼굴이 벌겋게 달아오르셨다. 나는 너무 무서워 자리에 앉지도 못하고 안절부절못했고 등에서는 식은땀이 흘렀다. 이내 질문을 한 것을 후회했다.

수녀님은 마침내 이렇게 소리치셨다.

"어떻게 감히 어린 네가 그런 질문을 할 수 있느냐. 당장 자리에 앉아라."

그녀는 마치 사탄이라도 만났다는 듯 몸까지 부르르 떨었다.

나는 자리에 털썩 주저앉았다. 뭔가 대단한 잘못을 저질러 수녀님을 화나게 했다는 생각 때문에 놀라 어쩔 줄 몰랐다. 그러나 한편으로는 억울하기도 했다. 정말 궁금해서 겨우 용기를 내 여쭤본 것이었는데, 울고 싶을 정도였다. 수녀님은 어린 나에게 모욕을 당하셨다고 느끼셨는지 더이상 말씀을 잇지 못하시더니 수업이 채 끝나지도 않았는데 밖으로 나가버리셨다.

교실 안은 아이들의 웅성거림으로 가득 찼다. 친구들은 모든 게 내 잘못이라도 되는 듯 나를 탓하는 눈빛으로 저희들끼리 소곤댔다.

10여 분쯤 지났을까. 수녀님이 다시 들어와 수업을 진행하셨다. 아무 일도 없었던 듯 시간은 흘러갔지만 나는 큰 잘못을 저질렀다는 생각 때문에 수업시간 내내 얼굴을 들지 못했다. 그날 밤, 나는 패트릭 형에게 학교에 있었던 일을 얘기했다.

"형, 예수님께서는 '진리가 너희를 자유케 하리라'고 하셨잖아. 나는 진리를 찾기 위해 궁금한 것을 여쭈어보았을 뿐인데 수녀님은 왜 그렇게 화를 내셨을까?"

패트릭 형은 살며시 미소를 띤 얼굴로 나를 쳐다보더니 아리송한 말을 던졌다.

"나이가 들면 자연스럽게 알게 될 거야."

그리고 형은 혼자말처럼 이렇게 말했는데 나는 그 말이 잠자리에 들어서도 잊혀지지 않았다.

"아마 그 수녀님 같은 분들은 진리를 찾고 싶어하는 너 같은 학생을 두려워할걸……."

나는 수녀님께 대든 게 결코 아니었다. 정말 진리가 무엇인지 알고 싶었을 따름이었다. 신의 사랑과 믿음에는 한치의 의혹도 없었지만 정말 신의 사랑과 믿음을 내 몸에 체화해 큰 믿음으로 만들고 싶었다. 그런데 수녀님의 반응이란 도대체 무엇인가?

'아니야. 내가 틀린 게 아니야. 예수님께서는 진리를 알기 위해서라면 부모 형제도 버리고 십자가를 지고 따르는 결연함이 필요하다고 가르치셨어.'

며칠 뒤 다시 그 수녀님의 채플 시간이 돌아왔다. 나는 수녀님의 말씀을 들으면서 내가 알고 있는 현실과 가르침을 꿰맞추려고 노력했다. 나름대로 합리화를 해가면서 가르침을 새기려 노력했던 것이다. 그날 강의의 요지는 '하느님과 어린이'였다. 수녀님은 "하느님은 모든 어린이들을 사랑한다. 그러므로 여러분들이 하느님을 믿으면 천당으로 갈 것이며 믿지 않으면 지옥으로 갈 것이다"라는 말로 말씀을 맺으셨다.

나는 더이상 참지 못하고 또 손을 들었고, 순간 수녀님의 얼굴은 일그러졌다.

"수녀님, 하느님께서 우리 어린이들을 사랑하신다면 왜 어떤 친구들은 태어날 때부터 팔이 없거나 다리가 없지요? 또 어떤 친구는 아예 치료할 수 없는 불치병을 안고 태어나기도 하잖아요? 제 큰누나는 산부인과 간호사인데 매일 평균 대여섯 명 정도의 아이들이 태어나는 것을 지켜봅니다. 그리고 매일 저녁 식사시간에 병원에서 일어난 일을 들려주곤 합니다. 그런데 어떤 날은 손가락과 발가락이 지느러미처럼 서로 붙어서 태어나는 아이, 어떤 날은 태어날 때부터 심장이 약한 아이, 심지어 어떤 아이는 머리가 열려서 태어나는 경우도 있대요. 팔다리가 없거나 엉뚱한 데 붙어 있거나 하는 경우는 예사고요. 누나는 그런 얘기를 전하면서 너무 슬퍼 눈물을 흘립니다. 도대체 그런 아이들에게 베푸는 신의 사랑이란 어떤 종류의 사랑입니까?"

수녀님의 얼굴은 흙빛이 되었고, 아무 말도 없이 입술을 꽉 깨물고 나를 노려보았다. 나는 이번에는 당당하게 수녀님의 눈길을 받고 있었다. 어색한 침묵이 흘렀다. 교실 안은 찬물을 끼얹은 것처럼 조용했다. 이윽고 터진 수녀님의 목소리.

"미스터 뮌젠, 나가. 나는 너 같은 나쁜 생각을 가진 어린이한테는 더이상 가르칠 것이 없다. 그러니 당장 나가."

그리하여 나는 교실 밖으로 나가 수업이 끝날 때까지 벽에 코를 처박고 서 있어야 했다. 마침 다른 수업 때문에 교실을 옮기느라 옆으로 지나가던 동급생들이 "와, 폴이 무슨 잘못을 저질렀길래 저러고 서 있냐?" "아니, 쟤는 그 유명한 뮌젠네 아이잖아. 도대체 무슨 일이야?" 하며 수근대는 바람에 창피했지만 꾹 참았다.

수업이 끝나자 수녀님이 나에게 다가오셨다. 너무 화가 복받쳐 무슨 말부터 꺼내야 할지 당혹스런 눈빛이었다. 눈에는 빨갛게 핏발이 곤두섰고 그렁그렁 눈물까지 고여 있었다.

"앞으로 모든 일은 네가 하기 나름이다. 계속 내 수업을 듣고 싶으면 건방지게 굴지 말아라. 너는 내 수업을 방해할 자격이 없어."

나 역시 지지 않았다.

"수녀님, 저는 정말 제가 궁금한 것을 여쭈었을 따름입니다."

그러자 수녀님은 더이상 나와 대화하기가 싫다는 듯 "나는 너의 질문을 도저히 받아들일 수 없어"라며 휙 돌아 걸어가셨다.

그날 방과 후 나는 교장 선생님 방으로 불려 들어갔다. 일이 생각보다 커지는 것 같아 당황스러웠다. 분명 부모님의 귀에까지 들어갈 텐데 이를 어쩌나. 이 학교로 전학와 처음 들어가 보는 교장실. 육중한 문을 살며시 열자 햇빛이 들어오는 창 위로 큰 액자가 눈에 들어왔다. "나는 길이요 진리이며 생명이다."

그 글을 읽는 순간 나는 내 속의 나에게 이렇게 말했다.

'그래, 겁낼 것 없어. 나는 다만 진리가 무엇인지 알고 싶었을 뿐이야.'

이윽고 교장 선생님이 손짓해 가까이 다가앉았다. 교장 선생님도 수녀님이었는데 아주 엄한 분이어서 우리는 그녀를 아주 무서워했다.

"네가 수업시간에 한 행동을 모두 들었다. 나는 네가 어디서 그런 생각을 갖게 되었는지 모르겠지만 너는 수업시간에 다른 사람을 생각해야 한다. 네가 하고 싶은 말이 있어도 너 스스로를 잘 통제해야 한다. 너는 네가 가진 생각을 다른 사람들 앞에서 함부로 얘기해선 안 된다. 선생님 말씀을 믿고 잘 따라야 해."

적어도 교장 선생님만큼은 나를 조금이라도 이해해주실 줄 알았는데. 교장 선생님 방을 나오면서 나는 실망이 이만저만 아니었다.

그 일을 겪은 후 나는 학교생활에 흥미를 잃기 시작했다. 겉으로는 물론 여전히 모범생이었지만 속으로는 다른 생각을 하기 시작했다. 어떤 가르침은 나의 생각을 아주 넓고 깊게 했지만 어떤 가르침은 그렇지 않았다. 마치 활짝 피려는 꽃잎을 옆에서 힘으로 막아 피지 못하게 하려는 것 같았다.

그렇다고 해서 내가 하나님의 존재를 부정하고 예수님의 가르침에 대해 의심한 것은 절대 아니었다. 나는 내 마음속 의문들이 종교적 믿음을 더욱 강하게 할 것이라 확신하고 있었다. 그리고 마음속으로 진정 예수의 가르침을 믿고 있었다. 한치의 의심도 없었다.

나는 어느 형제들보다 성당에 열심히 다녔다. 평일에도 혼자 성당에 가 기도를 하고 올 정도였다. 그리고 신부님과 수녀님들을 정말 존경했다. 언젠가 신부나 수도사가 되겠다는 생각에도 변함이 없었다. 하지만 마음속에 뭔가 석연치 않은 것들이 생기기 시작했고 그리고 그것을 해결해야만 된다고 생각했다. 그런 나의 생각은 점점 나를 '크게' 변화시켜갔다.

뒷길로 오는 가르침

나는 더이상 문제를 일으키지 않기로 했다. 나 때문에 다른 친구들이 불편해하는 것도 미안했고 특히 부모님의 걱정이 컸다. 그래서 나는 다시 옛날의 모범생으로 돌아갔다. 그러나 두 달여가 지났을까. 나는 또 한 분의 수녀님과 악연을 만들게 되는데 정말 예기치 않은 일이었다.

바로 수학을 맡고 계시던 숀 수녀님이셨다. 신앙심이 매우 깊은 분으로 특히 칠판 글씨가 매력적인 선생님이셨다. 그런데 숀 수녀님은 우리 학교에서 악명이 높아 모든 학생들이 두려워했다. 아주 두꺼운 돋보기 안경 너머로 보이는 그녀의 눈은 학생들이 무엇을 잘못하는지 늘 감시하는 듯했고 창백한 얼굴에는 핏줄이 다 드러나 보였다. 작은 키에 몹시 뚱뚱한 그녀의 별명은 '탱크'였다. 거기에 팔다리도 아주 굵고 짧아 걸어 다닐 때는 진짜 탱크가 움직이는 것 같았다. (수녀님, 용서하세요.)

2년 전 내가 이 학교로 전학간다고 하자 형과 누나들은 '제발 숀 수녀님과는 만나지 않게 해달라고 밤마다 빌어라'라고 특별 주문을 하기도 했다. 이미 나와 같은 학교를 다녔던 형과 누나들에게도 유명했던 선생님이셨다. 과연 아닌게아니라, 전학오자마자 숀 수녀님의 악명은 드높았다. 선생님의 외모에서 풍겨져 나오는 두려움도 두려움이었지만 숀 수녀님은 학생들을 주로 매로 다스리셨다.

우리는 매학년이 끝날 때마다 성적표를 받는데 그 성적표에는 1년 동안의 성적과 함께 다음 학기에 배울 교과목 담임 선생님들의 이름이 죽 씌어 있었다. 학년말이 되면 아이들은 성적보다는 내년에 배우게 될 수학 선생님이 숀 수녀님인지 아닌지 보는 게 더 큰 관심사였다.

5학년이 끝나갈 무렵, 나는 성적표가 들어 있는 봉투를 조심스레 뜯었다. 이미 모두 A를 받을 줄 알았기 때문에 성적에는 별 관심이 없었다. 나는 봉투를 반쯤 열다가 옆의 짝이었던 스티브에게 아예 성적표를 넘겨주고 눈을 감은 뒤 그에게 "수학 선생님이 누구냐"고 물었다. 잠시 후 스티브의 입에서 나온 말은 아니나다를까, "내년은 악마와 함께하는 1년이 될 것이다"라는 말이었다. 그 이후 여름 방학 동안 정말이지 나는 그 호랑이 수녀님과 어떻게 다음 1년(9월부터 6월까지)을 함께 보내나 그 걱정뿐이었다.

수학시간은 일주일에 세 번. 숀 수녀님은 나를 처음 만난 날부터 내가 자유롭고 창의적인 생각을 가진 아이라는 것을 알아차리신 듯했다. 은근히 나를 싫어하는 기색이셨다. 더욱이 지난번 채플 시간에 있었던 일이 온 학교에 알려지면서 숀 수녀님이 나를 대하는 모습은 더욱 차가웠다. 나는 되도록 그녀에게 '찍히지' 않으려고 아주 조심했다. 반면 내 친구 존은 완전히 그녀의 '밥'이었다.

어느 날 수업중에 지우개가 필요했던 나는 존에게 눈치를 보내 지우개를 던지라고 했다. 그런데 아뿔싸, 존이 던진 지우개가 칠판에 글씨를 적고 있었던 숀 수녀님의 어깨에 명중한 게 아닌가. 수녀님은 완전히 마귀할멈 얼굴이 되어 뒤돌아서셨다. 그리고 아무 말도 없이 지우개를 눈앞에 들이대고 누가 던졌느냐는 표정으로 우리를 보셨다. 이윽고 존이 두려움에 몸을 떨며 일어섰다. 수녀님은 존의 자리로 쿵쿵 걸어가 그의 멱살을 잡아 책상에서 들어올리더니 문 밖으로 내쫓았다. 존은 그날 수업이 끝날 때까지 벽만 쳐다보고 있어야 했다.

그런 숀 수녀님의 그물망에 드디어 내가 걸려든 사건이 일어났다. 채플 시간 사건이 일어나고 한 달여가 지난 뒤였다. 그 당시 나는 쉬는 시간이나 점심시간이면 운동장으로 달려가 몸이 완전히 땀에 젖을 때까지 야구를 할 정도로 야구광이었다.

6학년 때는 야구팀 주장까지 맡았다.

그러던 어느 날, 나는 야구에 너무 정신을 파느라 그만 수학 수업시간에 약 5분 가량 늦고 말았다. 숨을 죽이고 살짝 교실 문을 열었는데 숀 수녀님이 들어와 기도를 주관하고 계셨다. 수녀님은 항상 수업 전에 5분간 기도를 주관하셨다. 수녀님을 비롯한 모든 학생들이 눈을 감고 있었다. 나는 불행중 다행이라 여기며 뒤꿈치를 들고 살금살금 내 자리로 찾아 들어가고 있었다. 그런데 살짝 눈을 뜬 친구들이 내 모습을 발견하고는 킥킥거리기 시작했다.

숀 수녀님이 그 소리에 눈을 뜨셨다. 수녀님은 그 큰 발로 내 앞에 쿵쿵 걸어오시더니 냅다 소리를 질렀다.

"왜 이렇게 늦은 거야?"

"……야구를 하다 시간을 잊어버렸습니다."

"그 자리에 그대로 서 있어."

수녀님은 교탁으로 돌아가시더니 기도를 다시 주관하기 시작하셨다.

나는 너무 두렵고 부끄러웠다. 남은 기도시간 3분이 마치 3년처럼 길었다. 기도가 끝난 뒤 수녀님은 나에게 자리에 가서 앉으라고 했다. 나는 안도의 한숨을 내쉬었지만 그날 이후부터 수녀님이 나를 바라보는 눈길은 예사롭지 않았다. 수녀님은 매일 나를 예의 주시하며 나에게 질문을 집중적으로 하셨다. 내가 대답을 못하면 교탁으로 불러내 종아리를 때렸다. 시간이 지나면서 나도 점점 화가 나기 시작했다. 도저히 참을 수가 없었다.

어느 날이었다. 수녀님은 수업 전 기도를 주관하시면서 '아무도 예수님을 통하지 않고 하느님 아버지 나라에 갈 수 없다. 오직 우리 믿는 사람만이 천국에 갈 수 있다'는 요지의 말씀을 하셨다. 기도가 끝난 뒤 수업이 막 시작될 무렵, 나는 손을 들었다.

"회교도와 인도, 아프리카, 중국 등에 사는 사람들은 신을 믿지 않습니다. 그러면 그들은 천국에 갈 수 없고 구원을 얻을 수 없습니까? 지구의 절반 이상을 차지하는 그들에게도 그들의 신이 있습니다. 그런데 그들이 우리가 믿는 신을 안 믿는다고 해서 모두 지옥으로 간다는 것입니까?"

수녀님은 좀 당혹스러운 눈빛이었지만 내 질문에 대답을 하려고 애쓰셨다. 그러나 그녀의 입에서 흘러나온 대답이란 "오직 믿는 마음이 중요하다"는 것뿐이었다.

며칠 후에는 더 큰일이 벌어졌다.

우리 반에는 유난히 철자법이 잘 틀리는 '톰슨'이라는 친구가 있었다. 숀 수녀님은 우리에게 수학 숙제 이외에도 성경 한 대목을 정해주고 베껴오는 숙제도 곧잘 내주셨는데 어느 날 톰슨이 성경에 나오는 사람 이름의 철자를 틀리게 써온 것이었다. 수녀님은 몹시 화를 내셨다.

톰슨은 흑인 학생이었다. 우리 학교에는 단 두 명의 흑인 학생이 다녔는데 그가 그중 한 명이었다. 톰슨 집안은 본래 카톨릭이 아니라 개신교를 믿는 집안이었지만 성마리아 학교가 우수한 사립학교라는 장점 때문에 부자였던 그의 부모님이 그를 우리 학교에 보낸 것이다.

숀 수녀님은 톰슨에게 교실 뒤로 가 두 손을 모으고 기도하는 자세로 꿇어 앉아 있으라고 하셨다. 30여 분쯤 지났을까. 톰슨은 아픔을 참기 어려웠는지 울기 시작했다.

나는 너무 가슴이 아팠다. 유달리 눈에 잘 띄는 피부색 때문에 친구들한테 '왕따'까지는 당하지 않았지만 늘 홀로 외로워하던 아이였다. 그리고 선생님들은 알게 모르게 그 아이를 싫어했는데 그 이유가 개신교회를 다니기 때문이었다는 것을 나는 나중에 알게 되었다. 그런데 그런 그가 내 뒷자리에서 울고 있는 것이었다. 그가 안쓰러워 견디기 힘들었다.

다시 수업을 시작하신 수녀님은 갑자기 내 이름을 부르셨다.

"미스터 뮌젠, 무슨 문제가 있나. 왜 얼굴이 그렇지?"

아마 불편한 감정이 얼굴에 나타난 것 같았다. 내가 아무 말이 없자 내 앞으로 다가오셨다.

"뭐가 맘에 안 드는 거야? 말해."

"톰슨을 그만 벌 주세요."

"너, 재 친구야?"

"예."

"좋다. 그러면 너도 가서 무릎 꿇고 앉아 있어."

우리 교실은 1층에 있었는데 수업이 먼저 끝나 지나가는 아이들마다 우리를 쳐다보고 웃어댔다. 심지어 여자애들까지 손가락질을 해댔다.

나는 그날 마음속으로 결정을 내렸다. '더이상 숀 수녀님께 잘 보이려 노력할 필요가 없다.'

우리 교실 윗벽에는 아주 큰 십자가가 있었는데 나와 톰슨은 수업시간 내내 두 손을 모으고 십자가를 바라보며 앉아 있어야 했다. 수녀님은 그날 수업시간이 끝나면서 우리를 의식하셨는지 "저 십자가에 매달린 예수님은 바로 여러분들의 죄 때문에 돌아가셨다"는 말씀을 하셨다. 나는 그때 수녀님의 말씀을 도저히 받아들일 수가 없었다. 이윽고 수녀님이 우리에게 다가오더니 이렇게 말씀하셨다.

"좋다. 폴은 제자리에 가서 앉고 톰슨은 그대로 있어."

그 말이 끝나자마자 나는 "저도 같이 있겠습니다" 하고 말했다. 그러자 수녀님의 얼굴이 완전히 흙빛으로 변했다.

"폴, 네 자리로 당장 돌아가라. 명령이다."

나는 아무 말도 하지 않고 그저 돌처럼 앉아 있었다.

'가족들의 명예에 금이 가도 상관없어. 내 생각에 옳으면 그건 옳은 거야.'

수녀님은 포기하셨다는 듯 휙 뒤돌아 나가셨다. 나는 톰슨과 함께 한 시간 가량을 더 그렇게 앉아 있었다.

그날 이후 수녀님은 노골적으로 나를 미워하기 시작하셨다. 따귀를 때리는 것은 물론 걸핏하면 내 넥타이를 잡아당기며 을러대기 시작하셨다. 패트릭 형에게 수녀님이 넥타이를 잡아당기는 바람에 못 살겠다고 했더니 형은 나를 위해 넥타이 끝을 와이셔츠 깃끝에 단추로 고정시키는 특수 넥타이를 사다주었다. 작전(?)은 보기좋게 성공해 어느 날 숀 수녀님은 내 넥타이를 잡아당기다 교실 바닥에 쿵하고 주저앉으셨다. 나 때문에 다른 친구들도 그 넥타이를 사다 매기 시작하면서 완전히 히트 상품이 되었다. 그렇다고 그녀의 고문(?)이 끝난 것은 아니었다. 오히려 우리 사이에는 점점 더 큰 악재만 나타났다.

매년 유월절*이 오면 학교에서는 큰 행사가 열린다. 옛 유월절의 상황을 그대로 재현하기 위해 유대인들이 먹었던, 베이킹 파우더를 넣지 않은 빵을 점심시간에 먹는 행사이다. 그날은 숀 수녀님 시간 바로 다음이 점심시간이었기 때문에 수학 수업을 마치고 수녀님 주재하에 유월절 재현 점심식사가 있었다. 우리는 수녀님이 나눠주시는 빵과 잼을 먹기 시작했다. 유월절 빵은 마치 한국의 빈대떡처럼 얇고 부드럽고 평평한데 그 위에 잼을 발라 먹는다.

그런데 그날 평소 수녀님의 '밥'이었던 존이 또 걸려든 것이다. 존은 빵 위에 잼을 한 숟가락 떠놓더니, 그 부분을 앞으로 구부린 뒤 마치 딱총처럼 잼을 튀기는 장난을 했다. 존의 원래 목표는 내 얼굴

* 유월절(Passover)은 이스라엘 민족이 이집트에서 탈출한 것을 기념하는 명절.

이었는데, 아이고, 그게 수녀님의 어깨로 날아간 것이었다. 존은 너무 겁이 나 책상 밑으로 숨었고 수녀님은 씩씩거리시면서 존에게 다가왔다. 그 순간부터 교실 안은 수녀님과 존 사이에 쫓고 쫓기는 한판 드라마가 펼쳐졌다. 존은 책상 밑을 요리조리 피해다녔고, 수녀님은 탱크 같은 몸을 이리저리 바삐 움직이시면서 존을 잡느라 혈안이 되셨다. 교실 안은 완전히 난리가 났다. 아이들은 웃음을 참지 못하고 책상을 두드려대며 폭소를 터뜨렸다. 나 역시 세상에 태어나 그렇게 웃어본 적이 없었다.

그러나 마침내 수녀님의 손아귀에 잡힌 존은 죽도록 얻어맞았고, 같이 장난을 쳤다는 이유로 나 역시 무사하지 못했다. 우리 둘은 점심도 못 먹고 교실에서 쫓겨나와야 했다. 나는 '정말 선생님은 우리에게 사랑을 가르치고 있는 것일까' 하는 의문이 들었다.

나는 교실을 나와 성당으로 가서 맥마혼 신부님을 찾았다. 성당 복사로 일하고 있던 나에게 각별한 애정을 쏟아주셨던 분이었다. 마침 신부님은 혼자 계셨다. 나는 그분께 모든 일을 말씀드렸다.

"이해할 수 없어요. 그런 게 사랑인가요. 어떻게 그런 일이 가능하지요?"

신부님은 "때때로 하느님께서는 우리가 전혀 이해할 수 없는 일을 계획하시기도 하신단다"라며 나를 위로하셨다. 결국 존은 그 일이 있은 후 전학을 갔고, 존의 부모님들은 다니던 성당까지 바꿨다.

몇 년 후 나는 숀 수녀님이 정신병원에 입원하셨다는 소식을 들었다. 그리고 얼마 후 퇴직을 하셔서 더이상 아이들을 가르칠 수 없게 됐다는 말도 풍문으로 들었다.

나는 한번도 신과 예수님의 가르침 자체에 대해 의문을 품은 적은 없었다. 다만 몇몇 수녀님들의 잘못된 가르침을 통해 종교적 생활, 말과 행동의 차이, 그런 것들에 대한 고민이 많았다. 그 시절은 어린 나에게 닥친 첫번째 종교적 시련의 시기였다.

궁금한 게 너무 많았고 이해되지 않는 일이 너무 많았다. 따지고 분석하는 나의 버릇 때문에 여러 사람이 곤혹을 겪기도 했다.

어느 날 우리가 사는 옆 동네에 큰불이 나 아이들만 여섯 명이 타 죽는 큰 참사가 빚어졌다. 그들은 전쟁 때문에 보트 피플로 미국에 건너와 살고 있었던 베트남 아이들이었다. 돈이 없다 보니 두 가족이 모두 한방에서 살았는데 사고 당시 부모들은 돈 벌러 나가고 없었다고 한다. 아이들만 남아 불장난을 하다 참사가 빚어진 것이었다.

나는 그 얘기를 어머니로부터 들었다. 죽은 아이들의 아버지 한 사람이 어머니가 근무하시는 학교에서 일하는 청소부였기 때문이다. 아주 일을 열심히 하는 사람이라며 그 전부터 어머니가 가끔 얘기하셨던 사람이었다. 그래서 나는 더욱더 충격을 받았다. 도대체 그 어린아이들이 무슨 죄가 있다고 그렇게 처참하게 타 죽어야 하나. 며칠 후 한 신부님의 초청 강연이 있었던 채플 시간에 나는 손을 들어 신부님께 그 화재 사고를 말씀드린 뒤 이렇게 물었다.

"신부님, 어떻게 이런 일이 가능합니까. 어떤 선생님께서는 그들이 신을 믿지 않았기 때문에 그렇게 큰 고통을 받는 것이라고 하셨는데 그게 맞습니까. 하느님은 모든 인간을 사랑하신다고 했습니다. 그런데 왜 죄 없는 어린아이들이 불에 타 죽어야 하지요?"

신부님은 성경을 인용하며 열심히 설명하셨지만 내겐 충분하지 않았다.

'왜 그럴까' 하는 나의 의문에는 근본적 답이 되지 못했다.

미국은 중학교가 따로 없다. 물론 지역에 따라서 초등학교 6년과 중학교 2년 동안의 캠퍼스가 서로 달라 한국처럼 구분이 있는 곳도 있지만 내가 다니던 성마리아 학교는 초 · 중등 과정을 합쳐 8년이었다.

8학년이 되어서 만난 마르셀라 수녀님이 특히 기억에 남는다. 그 수녀님은 당시 연세가 여든이 다 되셨던 분이었는데 어린 우리에게 유혹에 빠지지 말 것을 특히 강조하셨다. 수녀님은 항상 "우리의 몸 자체가 사탄이다. 몸은 정신보다 낮으며 영혼은 고귀한 것이므로 항상 영혼의 뜻에 따라 살아야 한다. 몸을 믿거나 신뢰해서는 안 된다. 몸은 언제나 죄로 향하는 유혹에 노출되어 있는 악마다"라고 말씀하셨다.

그러면서 아담과 이브 얘기를 하셨다.

"신께서는 일주일 동안 이 세상을 만드셨으며 사탄이 준 사과를 먹은 아담 때문에 우리는 원죄를 갖게 되었다."

나는 더이상 질문을 하지는 않았다. 해답을 얻을 수 있다는 기대가 없었기 때문이었다. 그러나 마음속으로는 이해하지 못하는 부분이 많았다.

만약 신이 우주를 만들었다면, 그리고 우주 안의 모든 것을 만들었다면 인간의 죄, 죽음, 사탄 역시 신이 만든 것일까?. 그렇다면 신은 너무 불공평하지 않은가? 그 모든 걸 다 만들어놓고 인간이 죄를 범했다고 벌하신다는 말인가?

아무리 생각해도 납득할 수 없는 대목이었다. 몸이 사탄이라면 그것 역시 신이 만든 것이 아닐까? 그런데 어떻게 그것이 악마일 수 있는가?

혼란스러웠다.

마르셀라 수녀님은 틈만 나면 교실 벽에 걸려 있는 십자가를 가리키시면서 "예수님은 우리의 죄 때문에 돌아가셨다. 예수님은 우리의 죄를 사하기 위해 돌아가셨다"고 하셨다.

'신은 우리의 죄를 사하기 위해 독생자를 이 땅에 보내셨고 예수님은 결국 우리의 죄를 다 사하신 뒤 돌아가셨다. 그런데 신이 전지전능하다면 그게 왜 필요했을까?'

나는 그런 의문이 생길 때마다 성당에 가서 간절한 기도를 올렸다.

"하느님, 이 세상의 진리가 무엇입니까. 무엇이 옳은 것입니까. 제 안에 사탄이 있다면 사라지게 해주십시오."

진정한 지혜란 무엇인가, 무엇이 맞는 것인가. 나는 그것을 알게 해달라고 빌고 또 빌었다.

죽음에 대한 기억

열다섯 살 때의 일이다. 그 일은 그때까지의 내 삶을 완전히 180도 바꾸어놓았다. 나는 그 일로 세상에 태어나 처음으로 절망과 고통이 어떤 것인지 경험했다. 완전히 세상이 거꾸로 서는 경험이었다. 돌이켜보면 그 일은 나에게 결정적으로 삶과 죽음이 무엇인지에 대해 생각하게 하는 경험이었고, 내 가족 모두에게도 아직까지 영향을 미치고 있다.

우리 어머니의 형제는 모두 세 분이다. 그중 외삼촌 휴는 아주 인텔리이고 성공한 출판사 사장이었다. 결혼 전에 카톨릭 수도사였던 외삼촌에게는 모두 일곱 명의 아이들이 있었다.

외사촌들과 우리 형제들은 같이 자랐다. 집이 불과 5분 거리에 있었기 때문이다. 우리는 열여섯 명의 형제 자매들이나 다름없었다. 사촌형제들은 외삼촌을 닮아 아주 똑똑하고 모든 일에 호기심이 많았다.

특히 우리 남자형제들과 사촌 폴, 브랜든, 댄, 3형제는 정말 우애가 좋았다. 함께 공부하고 운동하고 놀고 잠자며 24시간을 붙어 지낼 정도였다.

그중에서 나와 이름이 같은 폴은 나보다 6개월 늦게 태어나 동갑내기 친구나 다름없었다. 우리는 어느 형제들보다도 가까웠다.

당시 우리 부모님들은 메사추세츠 케이프카드에 여름 별장을 갖고 계셨다. 그곳은 케네디 대통령가(家)가 있는 곳으로 미국에서도 손꼽히는 휴양지다. 부모님들은 1백 년 된 호텔을 사들여 이를 개조해 별장으로 만드셨는데 그 집에는 침실만 해도 열두 개가 있었고 거실이 세 개나 되었다. 별장은 해변 바로 옆에 위치해, 우리는 낚시나 수영을 하다 지치면 책을 읽었다. 별장에는 당구대와 탁구대 등 없는 게 없었고 테니스 코트까지 있었다. 완전히 천국이었다. 내가 대학에 들어가기 전까지 여름방학이면 우리 식구들과 외삼촌네 식구들은 모두 그곳에서 함께 여름을 지냈다.

1980년 어느 여름날, 외삼촌네 식구들이 우리와 열흘간 여름휴가를 같이 보내고 먼저 집으로 돌아가는 날이었다. 그때 우리는 너무너무 재미있게 놀았다. 곧 1, 2년만 지나면 공부를 해야 하기 때문에 바빠질 게 뻔했기에, 그해 여름이 우리 형제들이 실컷 놀 수 있는 마지막 기회나 되는 것 같아 유난히 아쉬웠다.

그들이 차를 타고 떠날 때 나와 남동생들은 차를 따라잡기라도 할 것처럼 달려가며 손을 흔들어 댔다.

나는 그때 창 밖에 비친 폴의 얼굴에 눈물이 그렁거리는 것까지 보았다. 그런데 사흘 후 나는 청천 벽력과도 같은 소식을 들었다. 폴이 교통사고로 죽었다는 것이다.

어머니가 하루 종일 우시는 것을 본 건 그때가 처음이었다. 우리 역시 마찬가지였다. 어떻게 이런 일이 있을 수 있단 말인가. 불과 사흘 전만 해도 '며칠 뒤 다시 보자'며 헤어지지 않았나.

폴과 동생 브랜든은 그날 집으로 가자마자 마침 찾아온 큰누나의 약혼자와 함께 드라이브를 나갔다고 한다. 그 남자친구는 미래의 처남들에게 새 차를 자랑하고 싶었나 보다. 누나도 함께 드라이브나 하고 오라고 동생들에게 권한 모양이었다.

그들은 모두 밖으로 나와 차에 탔다. 브랜든은 앞자리에, 폴은 뒷자리에 탔다. 운전기사인 누나의 약혼자는 약간 술에 취했었음이 나중에 밝혀졌다. 그들은 안전벨트도 매지 않았다. 집을 나서면 곧바로 90도 각도의 골목이 나오는데 그 약혼자는 빠른 속도로 달리다 휘어진 골목을 보지 못하고 전봇대를 들이받았다. 차는 완전히 칼에 잘려진 빵처럼 두 조각이 났다. 차체는 한 번 들렸다가 내려앉으면서 차 지붕이 폴의 머리를 강타했다.

브랜든의 몸은 창 밖으로 던져져 차로부터 60미터 가량 떨어진 곳에 나동그라졌다. 브랜든의 얼굴은 완전히 피로 범벅이 됐다. 그는 본능적으로 온힘을 다해 차로 기어와 차 안을 들여다보았다. 형 폴이 걱정되었기 때문이다. 폴은 차체에 완전히 끼여 죽어가고 있었다. 목이 부러진 채로 폴은 차에서 빠져나오려고 안간힘을 썼으나 도저히 나올 수가 없었다. 브랜든은 폴의 죽어가는 모습을 남김없이 지켜본 것이다. 차를 몰았던 누나의 약혼자는 가벼운 경상만을 입었다.

폴의 죽음은 나에게 매우 큰 충격을 가져다주었다. 나는 며칠 동안 폴의 죽음이라는 충격에서 벗어나지 못해 식음을 전폐했다. 도저히 믿을 수 없는 일이다. 폴이 죽다니……. 우리 형제들 모두 그 일 때문에 엄청난 충격을 받았다. 그의 가족이나 우리 가족 모두에게 악몽 같은 일이었다. 누구보다 피해가 큰 사람은 브랜든이었다. 그 사고에서 브랜든의 몸은 비록 살아났을지 몰라도 그의 마음은 그날 죽은 것이나 다름없었다.

그날부터 지금 이 순간까지 브랜든의 삶은 투쟁 그 자체였다. 브랜든은 매우 총명한 사람이었다. 그 큰 충격 속에서도 공부를 열심히 해 USC(University of Southern California)에서 생화학 박사학위를 받았다. 하지만 그의 내면의 삶은 평온하지 못했다. 그날 사고 이후부터 그는 형이 죽고 자기 혼자만 살아남았다는 죄책감에서 벗어나지 못했다. 옆에서 가족들이 차마 눈뜨고 못 볼 정도였다. 또한 그날의 교통사고는 아름다운 그의 얼굴에 지울 수 없는 상처를 남겼다. 유명하다는 성형외과는 다 찾아다녔지만 흉터는 끝내 지워지지 않았고, 그를 만나는 사람마다 흉터가 왜 생겼는지 묻고 관심을 가졌다.

그는 더욱더 자기만의 방으로 숨어 들어갔다. 겉모습은 직업을 갖고 그런대로 평범한 삶을 살아가는 것처럼 보여도 마음속은 고통으로 가득 차 있었다. 얼굴은 늘 일그러져 있었고 어두웠다. 22년 동안 알코올에 절어 살았으며 최근에는 마약에도 손을 대기 시작했다. 외삼촌과 숙모는 브랜든을 위해 매일 기도했다. 우리 어머니 역시 마찬가지였다.

브랜든 역시 교회에 열심히 나가 무릎을 꿇고 '제발 제 마음에 드리운 죄책감을 씻어주세요' 하고 기도했다. 하지만 그의 삶은 그날 사고 이후 죽음을 향해 천천히 굴러갔다. 그랬다, 그는 하루하루 죽어갔다. 형 폴의 죽어가는 모습이 그의 머릿속 깊이 각인되어 그를 무참히 괴롭힌 것이다.

이 일은 나로 하여금 세상을 보는 눈을 바꾸게 했다. 왜 이런 일이 그 착한 폴과 브랜든에게 일어난 것일까. 왜 착한 사람들에게 그런 형벌이 내려졌을까. 이 일은 나를 이 세상의 고통이라는 것에 정면으로 맞닥뜨리게 했다. 신이 계시다면 도대체 이 일을 어떻게 설명하실까. 도대체 신이 계시기나 한 것일까?

그전까지만 해도 나는 부모님, 신부와 수녀님, 성경, 신 모든 것을 믿었었다. 물론 마음속 깊은 곳에 의문을 갖고 있기는 했지만 그것 또한 하느님에 대한 믿음과 성경의 가르침을 전제로 한 것이었다.

하느님은 '사랑'이라고 했다. 하느님은 우리 모두를 자식처럼 사랑하고 보호한다고 했다. 우리는 모든 것을 하느님으로부터 받았다고 했다.

어렸을 때부터 사람들은 나에게 '너는 천재야, 하느님은 너에게 아주 많은 재능을 주셨구나. 너는 하느님이 특별히 선택한 사람이다'라고 칭찬했다. 내가 가진 모든 것은 신이 주신 것이라고 했다. 그렇다면 다른 사람은 왜 나와 다른가? 그들의 모든 고통 역시 신이 주신 것일까? 사촌동생 폴의 참혹한 죽음 역시 하느님이 주신 것인가? 또 사촌동생 브랜든에게 그렇게 치명적인 고통과 상처를 주시고 얼굴에까지 흉터를 남겨 영원히 죽을 때까지 가져가라고 하신 것인가? 지금 이 순간, 나의 부모님과 형제들, 외삼촌 가족들이 그렇게 열심히 기도를 하는 지금 이 순간에도 그 모든 고통을 그저 하나님이 주신 것이라고 받아들여야만 하는가? 도저히 납득할 수 없었다.

물론 내가 겪은 사촌동생의 죽음이 아주 특별한 것은 아니다. 수많은 사람들이 내가 겪었던 것보다 더한 고통에 시달리고 있지 않은가.

나는 한국에 살면서 많은 죽음을 접한다. 특히 올해 여름 경기도 씨랜드 수련원에서 뜨거운 불길에 타죽은 아이들 때문에 얼마나 울었는지 모른다. 그뿐인가, 삼풍백화점 사고 때 가족들에게 작별인사 한마디 없이 갑자기 세상을 떠나버린 사람들……. 미국도 예외는 아니다. 아무 걱정 없이 학교에 갔다가 친구들의 총에 맞아 죽은 미국 콜로라도 칼럼바인 고등학교의 착한 학생들.

이 사람들에게 내려진 하느님의 사랑이란 무엇인가. 만약 하느님께서 이 세상의 모든 것을 만들었다면 왜 하느님은 당신의 창조물을 그토록 쉽고 간단하게 파괴하는가. 마치 조롱이라도 하듯 말이다.

사촌 폴의 죽음을 떠올리니 옛날 기억 하나가 생각난다.

미사 복사직을 맡고 있을 때였다. 어느 날 오후 수업을 받고 있는데 누가 교실 문을 두드렸다. 한 신부님이 들어오시더니 곧 성당에서 장례식이 있을 텐데 일을 도울 사람이 없다며 내 도움이 필요하다는 것이었다. 그리하여 나는 수업을 빠지고 장례식 일을 돕게 되었다.

미국의 장례식은 한국과 약간 다르다. 한국은 병원에서 사람이 죽으면 곧바로 병원 영안실로 옮겨 장례식을 치르지만 미국은 장례식만 전담하는 개인회사들이 있다. 이 직원들이 사체를 병원에서 인수받아 썩지 않게 방부 처리를 하고 좋은 옷을 입히고 얼굴에 화장까지 해서 유리관 안에 안치한 뒤 성당으로 옮겨와 장례식을 치른다.

나는 그때 그런 회사 사람들을 보면서 참 슬픈 일을 직업으로 갖고 있는 사람들이라고 생각했다. 검은 정장을 입은 그들의 얼굴은 종일 굳어 있었으며 꼭 다문 입은 도무지 평생 열릴 것 같지 않았다.

그런데 그날, 성당에서 나는 그들을 좀더 가까이서 만날 수 있었다. 제단 옆 문 하나만 열면 그들이 잠시 대기하던 방이었는데 이게 무슨 일인가. 무언가를 가지러 그 방에 들어갔을 때 나는 깜짝 놀랐다. 그들은 넥타이도 풀어헤치고 와이셔츠 단추도 배까지 풀고, 소매를 걷어붙이고 다리는 길게 책상에 걸어놓은 뒤 '농담 따먹기'로 웃음꽃을 피우고 있는 게 아닌가. 전날 밤 미식축구 얘기, 여자친구 얘기로 정신이 없었고 심지어 한쪽에서는 카드판까지 벌여놓고 있었다. 게다가 간혹 신부님들까지 가세해 농담을 주고받는 것이 아닌가. 밖에서는 유족들이 거의 정신을 잃고 통곡을 하고 있는데……. 문 하나만 열면 완전히 다른 세상이 되는 것이었다.

이윽고 장례식이 시작되자 그 직원들은 옷을 갖춰 입고 나와서는 유족들 앞에서 흡사 자기 아들이 죽은 것처럼 눈물을 글썽이며 슬픈 표정을 지었다.

어린 나는 충격을 받았다. 아니, 어떻게 사람들이 저렇게 달라질 수 있는가. 그전까지만 해도 나는 어른들의 감정적 표현과 표정이 '진짜'라고 생각했다.

그런데 평생 살면서 미소조차 한번 내보일 것 같지 않았던 그 아저씨들이 커튼 뒤에서는 여느 사람들과 똑같이 수다를 떨면서 장례식이 시작되자마자 순식간에 표정을 바꿔 세상에서 가장 슬픈 얼굴이 돼버리는 것이다. 좋다 나쁘다는 가치판단이 아니라 그런 모습이 어린 나에게는 좀 흥미로웠다.

나는 그때 두 가지를 느꼈다. 하나는, 인간이란 상황에 따라 혹은 개인적 필요에 따라 감정을 조종할 수 있는 동물이라는 것이었다. 그리고 두번째는 그전까지만 해도 죽음이란 누구의 것을 막론하고 무조건 슬픈 일이라고만 생각했는데 반드시 그런 것만은 아닌 모양이라는 느낌이었다. 그 경험은 인간의 감정에 대해, 그리고 죽음에 대해 객관화시켜 생각해볼 수 있게 했다.

어쨌든 나는 그날 일을 도와준 대가로 신부님으로부터 무려 5달러(당시로서는 어린아이가 만져볼 수 있는 돈치고는 큰돈이었다)라는 거액을 받아 기분이 좋았다.

무엇이든 빨아들이는 스펀지처럼

나는 1979년 6월 초등학교와 중학교 과정을 마치고 성 요셉 고등학교에 입학했다. 그 학교 역시 카톨릭 사립학교로 내가 살고 있던 뉴저지 주에서 가장 훌륭한 고등학교였다. 카톨릭 수도사들이 세우고 운영하는 역사가 깊은 학교로 남자고등학교였기 때문에 내 형들 모두가 그곳을 졸업했다.

'학교' 라는 공간에서 배울 수 있는 모든 것은 그곳에서 배웠다고 해도 과언이 아니다. 모든 선생님들은 수도사였는데 우리는 그들을 '브라더'(Brother)라고 불렀다. 선생님들은 학생들 각자의 잠재력을 개발하는 데 가장 역점을 두셨고 엄하게 우리를 대했지만 우리의 상상력과 생각을 깊고 넓게 열어주기 위해 노력하셨다.

수업방식도 독특했는데 토론을 가장 중요시했다. 역사, 문학, 철학 등 모든 수업시간마다 우리는 주제와 관련된 무슨 이야기든 할 수 있었다. 이와 함께 학교는 학생들을 향한 열린 교육을 몸소 실천

했다. 예를 들어 채플 시간에는 수도사님들이 성교육을 시키기도 하셨다. 그것도 단순히 성에 대한 선입견이나 편견을 심어주는 것이 아니라 직접 콘돔을 갖고 와 우리들에게 보여주며 어떻게 사용하는지를 가르치는 산교육이었다. 선생님들은 우리에게 성은 피해야 할 것이 아니기 때문에 성욕은 더럽거나 나쁜 것이 아니라고 가르쳤다. 그리고 성을 누릴 자유 이전에 그에 따르는 책임을 강조하셨다.

선생님들은 학생들에게 놀라울 정도로 헌신적이셨다. 개인상담 시간도 많았는데 그때마다 우리 얘기를 잘 받아주셔서 아주 솔직한 얘기를 할 수 있었다. 감수성이 예민한 시절 수도사 선생님들은 우리들이 넘어가는 고빗길마다 든든하게 지켜서서 우리에게 길을 안내해 주시던 중요한 상담자였다. 나는 몇 년 전 로빈 윌리엄스가 주연한 〈죽은 시인의 사회〉라는 영화를 감명 깊게 본 적이 있는데 그 학교가 흡사 내 고등학교 생활을 그대로 옮겨놓은 듯해 진한 감회에 젖었었다.

나는 학교생활에 아주 활동적으로 참여했다. 공부도, 운동도 열심히 했다. 수도사님들은 내가 영적인 부분에 관심이 많은 사람이라는 것을 일찍이 알아차리고는 나에게 많은 관심을 가져주셨다. 당시 나는 무엇이든 빨아들이는 스펀지처럼 외부의 모든 정보에 촉각을 곤두세우고 받아들일 자세가 되어 있었다. 모든 일에 호기심이 많았다. 그런 내가 질문을 할 때마다 수도사님들은 내 고민을 함께했다.

나는 수도사 선생님들에게 장차 크면 수도사나 신부가 될 것이라고 말했다. 그럴 때마다 수도사님들은 정말 훌륭한 생각이라며 격려해주셨다. 그리고 어떤 때는 나같이 어린 학생을 수도사님들만이 참여하는 특별수련에도 참석하게 해주셨다. 산에서 며칠 동안 선생님들과 함께 생활하면서 묵언하고 기도를 올리는 수련이었다. 선생님들은 나의 독립적인 생각을 존중해주었고 내가 의문스러워하고 고민할 때도 뭔가 해결책을 주려 하기보다 내 생각을 들어주고 공감해주셨다. 이전의 학교생활에서는 전혀 경험해보지 못한 것이었다.

그들은 무조건 믿음을 강요하지 않았고, 내 생각을 막거나 통제하려고 하지 않았다. 심지어 당신들조차 같은 의문을 갖고 있음을 토로하며 같이 고민하자고 말했다. 당신들 역시 아직 해결하지 못한 부분이 많다며 젊었을 때는 그저 부모님이나 선생님들이 믿어야 한다고 해서 그저 신심이 부족한 자기 탓을 하며 믿을 수밖에 없었다고 털어놓기도 하셨다. 그리고 어떤 선생님은 내게 많이 고민하고 고민했지만 결국 '믿는 수밖에 없다는 결론에 도달했다'고 말씀해주시기도 했다.

나는 고등학교 시절에 만난 두 분의 스승을 잊을 수 없다. 리지스 수도사님과 로버트 수도사님이다. 리지스 수도사님은 나에게 아주 혹독한 글짓기 훈련을 시켰다. 그는 나에게 영어란 이렇게 사용하는 것이다, 라는 것을 가르쳐주신 아주 엄하신 분이었다. 그분은 글짓기 담당 선생님이었는데 나에게 특별히 많은 글을 쓰게 하고 체크해서 돌려주시면서 내 생각과 글쓰는 능력에 대해 조언을 해주셨다. 리지스 수도사님은 고등학교 내내 뉴저지와 미국 전역의 글짓기 대회에 기회만 나면 나를 학교 대표로 보냈고, 나는 그때마다 소설이면 소설, 시면 시, 장르를 가리지 않고 1등을 해 선생님을 기쁘게 했다. 선생님은 그런 나를 아주 자랑스러워하셨고 더욱더 나에게 헌신하셨다.

그분은 종종 나에게 "35년 교직생활 동안 너같이 훌륭한 제자는 가져본 적이 없었다. 너는 장차 많은 사람을 위해 좋은 일을 하게 될 것이다"라며 자신감을 키워주셨다. 그리고 내가 힘들고 어려워할 때마다 훌륭한 조언자가 되어주셨다. 나에게 또 한 분의 아버지이셨던 셈이다.

내가 출가해서 지금 한국에 살고 있다는 것을 아시게 되면 어떤 표정을 지으실까, 아마 깜짝 놀라실 것이다.

리지스 수도사님이 나에게 아버지와도 같은 분이셨다면 로버트 수도사님은 맏형과도 같은 분이었다. 로버트 수도사님은 아주 재미있는 분이다. 그는 학교에서 '터프 가이'로 불렸다. 젊었을 때 권투선수를 하기도 했던 그는 선수로 활동할 당시 손가락이 부러지고 코뼈가 주저앉아 인상도 우락부락했다. 무릎이 불편해 걷는 것이 불안해 보였다. 의자에 앉고 설 때마다 뼈마디가 우드득하는 소리가 들릴 정도였다. 그는 또 수도사 시절 초기에 아프리카에서 선교활동을 하기도 하셨다는데 활동적이고 헌신적인 활동으로 유명했다고 한다. 로버트 수도사님 이야기가 나올 때마다 전해지는 유명한 일화가 있다. 어느 날, 수도사님이 살고 있던 마을 흑인들이 선교사들을 무자비하게 살해하는 일이 발생했는데 그만 살아남았다고 한다. 워낙 평소에 펼친 헌신적인 활동 때문이었다.

그는 항상 우리들에게 "무엇을 배우는지는 중요한 것이 아니다. 어떻게 배우는가가 중요하다"고 하셨다. 물고기를 잡아주는 것이 아니라 낚시하는 법을 가르치려 애쓰셨던 분이었다. 대부분 학생들은 그가 너무 무섭다며 두려워했지만 나는 그를 아주 잘 따랐다. 선생님은 아주 열정적인 사람이었다. 그 선생님 역시 내가 독립적인 인간이 될 수 있도록 북돋아준 사람이었다.

그의 소개로 나는 셰익스피어와 만났다. 선생님은 젊었을 적 자신의 영혼을 사로잡았다며 셰익스피어를 소개해주시면서 나에게도 많은 도움이 될 거라고 하셨다. 나는 셰익스피어와 사랑에 빠져 집이고 학교고, 시간날 때마다 셰익스피어 작품을 읽어댔다. 나는 셰익스피어를 통해 언어의 힘이 얼마나 위대한지를 깨달았다.

그는 자기 삶에 아주 엄격한 분이셨다. 학교에는 작은 성당이 있었는데 나는 시간이 나면 혼자 그곳에 가 기도를 하곤 했다. 그때마다 어두운 성당 안에 무릎을 꿇고 두 손에 얼굴을 파묻은 채 아주 열심히 기도를 하고 있는 로버트 수도사님의 모습을 자주 볼 수 있었다. 어린아이처럼 아주 겸손하고 성스러운 모습에 혼자 감탄한 적이 많았다.

로버트 수도사님은 때로 와일드하고 열정적이었으며 힘이 넘쳐흘렀다. 다혈질적인 면도 있어서 학생들이 잘못을 했을 때나 화가 났을 때 가끔 정신이 나갈 정도로 학생들을 때리곤 했다. 그러나 그런 일이 있은 후에는 곧 후회했고 깊이 사과를 하셨다. 일면 거칠어 보이기도 하지만 동정심이 많고 순수한 마음의 소유자였다. 수도사님은 또 농담도 잘하셨다. 심지어 가벼운 음담패설도 즐기셨다. 나는 그가 영적으로 성실한 수행자이면서도 남의 눈에 얽매이지 않고 열린 마음으로 자유로운 삶을 살고 있는 사람이라는 생각을 했다.

나는 초등학교 때부터 일기를 쓰기 시작했다. 매일 하루도 빠지지 않고 썼는데 어느 날 수십 권의 일기 노트를 로버트 수도사님께 보여드린 적이 있었다. 그분은 내 일기를 건네받으며 아주 기뻐하셨다. 영광스럽게 생각한다고 하셨다. 일기를 다 읽고 나에게 돌려주시면서는 "너무 감동적이었다. 언젠가 너는 네 길을 찾게 될 것이다"라고 짧게 말씀해주셨다.

선생님은 진정으로 내가 수도사가 되기를 원했다. 내가 예일 대학교에 입학한 이후에도 가끔 편지를 보내셨다. 살뜰히 안부를 묻는 내용과 함께 수도사가 되고 싶다면 언제라도 찾아오라고 하셨다.

이제 내 길을 찾은 지금, 두 분 선생님은 지금 어디서 무엇을 하고 계실까. 나는 과연 그분들처럼 훌륭한 수행생활을 하고 있는 것일까. 게을러질 때마다 머릿속에 떠오르는 두 분의 치열한 삶의 모습은 나에게 훌륭한 채찍이 된다.

고등학교 시절 나의 삶은 더욱 자유로워졌다. 평일에는 열심히 공부를 하고 주말에는 친구들과 열심히 놀았다. 특히 주말이면 친구 집에서 돌아가며 열리는 파티가 아주 재미있었다. 나이트클럽도 많이 갔다. 그러나 열심히 놀고 온 다음날이면 왠지 허무감이 일기도 했다. 나는 가끔 떠들썩한 파티장을 혼자 빠져나와 산책을 했다. 서늘한 공기를 들이쉬며 까만 밤하늘에 떠 있는 별들을 바라보면서 혼자 생각에 잠기곤 했다.

'이런 삶이 나에게 가져다주는 게 뭐지? 이게 다야?'

당시 실존주의, 특히 카뮈에 빠져들기 시작했던 내가 이런 생각에 골몰해 있노라면 친구들이 파티장에서 사라진 나를 찾아 나왔다.

"야, 폴 너 지금 뭐하는 거야. 다들 너를 찾고 있잖아."

"그래 그래, 들어가자."

"야, 무슨 일이야? 왜 그렇게 기운이 없어."

친구들과 어울리면서도 마음 한구석, 밀려드는 외로움은 막을 수 없었다. 친구들은 앞으로 대학에 들어가 전개될 자유로운 삶, 사회적 안정, 부모님처럼 가지게 될 부(富), 좋은 직업 등등에 관해 얘기했다. 이혼, 별거 등으로 정작 부모님들의 삶이 행복해 보이지 않는다고 하면서도 그들은 부모님의 삶을 닮고 싶어했다. 마치 어떤 목적지를 향해 가는 기차에 탄 승객들처럼 내릴 생각도 않고 이미 결정된 프로그램대로 살려는 생각을 하고 있었다. 왜 사는가. 무엇이 진리인가. 그런 것에 대한 고민을 나눌 수 없었다. 때로 그런 고민에 혼자 빠져 사는 내 자신이 두렵기도 했다. 나는 도대체 뭐가 되려고 이러는 거지?

예일 대학 입학

고등학교 시절에도 나의 영적인 고민은 계속되었지만 그런 가운데서도 또 하나 부담이 있었는데 그것은 좋은 대학교에 입학하는 것이었다. 미국은 한국처럼 명문대에 대한 집착은 없지만 우리 부모님은 워낙 자식들 교육에 많은 관심을 쏟은 분들이라 학교 성적에 대한 기대가 크셨다.

나는 대학에 들어가면 철학과 신학을 본격적으로 파고들고 싶었다. 각종 글짓기 대회에 나가 상도 많이 탔는데 그러다 보니 자연스럽게 문학에도 큰 관심을 갖게 되었다. 대학을 졸업하면 수도사 혹은 교수나 소설가가 되고 싶었다. 부모님은 나에게 변호사가 되라고 했지만 나는 그 분야에는 관심이 없었다. 그것보다는 '진리'와 나의 존재에 대한 풀리지 않는 의문들이 내 머릿속을 더 크게 차지하고 있었다.

1983년 9월, 드디어 예일 대학에 입학했다. 부모님은 매우 기뻐하셨다. 입학식날 아버지는 나를 학교까지 태워다주셨는데 행사가 끝나고 학교 앞 매장에 들러 예일 대학 마크가 찍힌 것은 모조리 사주셨을 정도였다. 티셔츠, 가방, 공책, 손수건, 하다 못해 냅킨까지. 명망 있는 교수님들과 뛰어난 학생들. 미국, 아니 세계 지성의 요람인 예일 대학에서 내가 공부를 할 수 있게 되다니, 나는 꿈과 기대에 부풀었다.

미국의 대표적인 명문대학인 하버드 대학과 예일 대학을 비교하고 넘어가 보자. 하버드나 예일이나 모두 본래 신학대학에서 출발했다. 하버드가 먼저 세워졌는데 1636년 영국에서 종교의 자유를 찾아 신대륙으로 건너온 이른바 '종교난민'들이 건립했다. 처음에는 신대륙에 포교할 목사를 양성하기 위한 목적이 강했다. 그러나 그후 하버드는 점점 세속화되었다. 초반에는 신학만 가르쳤으나 점점 철학, 수학이 교과과목으로 도입되었고, 여기에 성경에 정면으로 도전하는 과학까지 도입되었다. 그러자 일부 보수적인 목사들이 반발하고 나섰다. 하버드가 본래의 설립 목적에서 벗어나고 있다며 새로운 대학의 신설을 주창한 것이다.

그렇게 해서 만들어진 것이 예일 대학이다. 예일은 하버드보다 60여 년 뒤인 1701년에 설립되었다. 하버드나 예일 대학의 역사는 미국의 독립(1794년)보다 훨씬 전의 일이니 미국 역사보다도 더 오래되었다.

그리하여 보스턴 바로 남쪽에 있는 항구도시였던 뉴헤이븐에 예일 대학이 만들어진다. 그러나 예일 역시 성장하면서 영국의 옥스퍼드와 케임브리지의 가르침들을 도입하기 시작하면서 신학대학이라는 본래 목적을 잃고 일반 대학으로 성장했다. 일부 목사들이 또다시 반발했다. 그리고 역시 새로운 대학의 신설을 요구했다. 그렇게 만든 대학이 프린스턴이다.

어쨌든 하버드와 예일 대학 이야기로 다시 넘어오면, 우선 규모 면에서는 하버드가 더 크다. 건물도 크고 학생들도 더 많다. 그런데 두 학교는 교육방식에 상당한 차이가 있는데, 하버드가 대학원 교육 중심이라면 예일은 학부 교육 중심이다. 하버드는 학부 강의를 안 하는 교수들도 있는데 예일에서는 아주 명망 있는 교수님이라도 학부 강의를 해야 한다. 또한 하버드 학부 강의는 주로 조교들이 맡아 한다.

하버드는 크기 때문에 강의를 듣는 학생들이 우선 많다. 예를 들어 헨리 키신저 같은 유명한 강사의 강의가 있는 날에는 강의실이 터질 듯 가득 찬다. 그러니 학생들은 강의가 끝나도 강사를 만날 수 없다. 최소한 대학원 학생이나 박사과정 학생 정도는 되어야 개인적으로 강사를 만날 수 있는 것이다. 그러나 예일은 완전히 다르다. 우선 학생수가 많지 않기 때문에 학생들 입장에서는 보다 집중적인 교육을 받을 수 있다. 그래서 공부 잘하는 미국 학생들은 학부는 예일에서, 대학원은 하버드에서 공부하고 싶어한다.

아! 나의 대학생활 4년.

대학생활은 나의 삶에 가장 큰 자극과 영향과 충격을 가져다준 기간이었다. 그리하여 더욱더 치열하게 나의 내면으로 돌아올 수 있는 수많은 경험을 하게 해준 기간이었다. 먼저 수업 방법부터 파격적이었다. 예일 대학의 모든 수업은 모두 토론식으로 진행된다. 교

수님들은 학생들이 교과서의 내용을 암기하거나 당신들의 생각을 그대로 따르기보다는 창조적이고 독창적인 사고방식을 가지도록 유도하고 강조한다. 많은 교수님들은 자신의 강의 내용이 학생들의 경험과 결합되어 학생들 각자의 시각으로 소화되기를 원한다.

예를 들어 철학이나 문학 수업에서 플라톤, 셰익스피어, 소크라테스, T. S. 엘리엇, 쇼펜하우어 등의 삶과 사상을 배운다. 두 번 정도 수업 후 세번째 시간에는 소그룹으로 나뉘어 학생들끼리 세미나를 한다. 세미나에서 우리들은 각자 배운 내용에 대해 서로 질문하고 토론한다. 세미나가 끝나면 강의 내용을 우리 것으로 완전히 소화할 수 있게 된다. 철학자나 작가가 태어난 연도를 외우게 한다든지 그들의 저작 내용을 외운다든지 하는 교육이 절대 아니다. 교수들 역시 암기 위주로 공부하는 학생들에게는 높은 점수를 주지 않는다. 물론 암기를 잘하는 것도 뛰어난 능력이다. 그러나 보다 중요한 것은 교재를 자기 것으로 소화해내는 것이다.

그래서 예일에서는 모든 수업에서 에세이를 아주 중요한 과제로 강조한다. 나는 학교 다닐 때 수없이 많은 에세이 과제 때문에 너무 스트레스를 받아 흰머리가 다 날 정도였다.

우리는 적어도 1주일에 두 번 정도는 A4용지로 10페이지 정도의 리포트를 제출해야 한다. 제목도 내가 스스로 정해야 하고 수업에서 배운 내용도 분석하고 결론도 내가 내려야 한다. 교수님들은 학생이 얼마나 주제에 대한 팩트(fact)를 많이 알고 있는가에 따라 점수를 매기는 것이 아니라, 그 학생이 얼마나 수업 내용을 잘 소화하고 그들 자신의 독창적인 시각을 표현하는가를 중시한다. 그러한 예일의 수업방식은 탐구하기 좋아하고 과학적으로 생각하기 좋아하는 나에게는 아주 흥미로운 것이었지만 쉽지는 않았다.

1학년 1학기 때 나는 〈영문학 125〉 강의를 수강했다. 〈영문학 125〉란 예일 대학이 세워진 해부터 매년 개설된 강의로 노교수님들이 영문학 고전을 가르치는 수업이었다. 예일 대학에서 전통과 역사를 자랑하는 강의라 할 수 있다. 나는 그 수업에 첫번째로 제출한 에세이 과제에서 C를 받고 충격을 받았다. 항상 A만 받아온 나에게는 평생 처음 있는 일이었다. 그것은 예일이 새로운 세계라는 것을 깨닫게 해준 사건이었다. 나는 생각을 좀더 깊이 하고 고민을 좀더 해야겠다는 결심을 했다. 아! 공부하는 게 만만치가 않구나.

차츰 학교생활에 적응해갈 무렵, 나는 학교와 학교 주변을 둘러싼 이상한 부조화를 발견했다. 예일은 미국은 물론 세계적으로 우수한 대학이다. 고딕 형식의 고풍스러운 멋이 풍기는 아름다운 캠퍼스, 세계적으로 내로라하는 수재들이 모이는 곳, 그리고 헌신과 열정을 다해 가르치는 교수님들.

그러나 대학 담장만 벗어나면 완전히 다른 세상이 펼쳐진다. 예일 대학은 미국 50개 주 가운데 가장 부유한 코네티컷 주에 있다. 그런데 아이로니컬하게도 예일 대학이 있는 도시 뉴헤이븐은 미국 내에서 일곱번째로 가난한 도시이다. 대학 정문을 나와 길 하나만 건너면 포화를 맞은 듯 쓰러져 가는 건물, 또는 낡은 텐트나 판잣집에 기거하면서 음식도 제대로 못 먹고 겨울이면 추위에 떠는 가난한 사람들이 살고 있었다. 그들은 주로 흑인들이다. 우리가 따뜻한 기숙사에서 맛있는 음식을 먹으며 침을 튀겨가며 '진리가 무엇인가' 하고 논쟁을 벌일 때 그들은 하루하루 끼니를 걱정하며 살아가고 있었다. 그런 모순적 환경은 나에게 큰 충격을 가져다주었다.

왜 이같은 모순적 상황이 생겨났을까. 이를 설명하기 위해서는 미국 역사에 대한 약간의 설명이 필요하다. 1865년 남북전쟁이 끝나면서 노예해방이 이루어졌다. 그전까지만 해도 미국 남부의 목화 농장에서 일하던 흑인 노예들이 산업이 발달해 공장이 밀집해 있는 미국 북부로 대거 이주하기 시작했다. 이들은 일자리를 찾기 위해 디트로이트, 인디애나 폴리스, 뉴욕, 뉴헤이븐, 보스턴, 뉴아크 같은 대도시로 너도나도 몰려들었다. 제1, 2차 세계대전을 겪는 동안 세계인들은 전쟁의 참화에 신음했지만 미국의 공장들은 무기와 생필품을 만들어내느라 쉴새없이 돌아갔다.

점점 더 많은 흑인들이 북부로 몰려들었고 더 나은 삶과 기회를 찾아 전세계 사람들의 미국으로의 이민이 계속되었다. 도시는 복잡해졌다. 사람들로 붐볐고 공해와 소음이 늘어갔다. 그러자 백인들이 도시를 떠나기 시작했다. 집을 교외로 옮기고 직장만 도시로 출퇴근하는 사람들이 생겼다.

그러다 1960년대와 70년대를 거치면서 미국의 다국적 기업 공장들이 보다 싼 노동력을 찾아 아시아로 옮겨가기 시작했다. 주로 전문직업에 종사하던 백인들은 별 문제가 없었지만 흑인들에게는 생존을 위협하는 문제가 아닐 수 없었다. 이미 집을 교외로 옮긴 백인들은 이참에 직장까지 교외로 옮겼다. 그들은 새로운 곳에서 하이테크 회사를 만들고 컴퓨터 관련 공장을 세웠다. 이렇게 되자 흑인들은 그야말로 시내에 갇히는 신세가 된 것이다.

백인들의 도시 탈출은, 비즈니스의 도시 탈출, 교육의 도시 탈출이 되었다. 왜냐하면 좋은 학교의 우수한 선생님들도 다 같이 도시를 떠났기 때문이다. 부자 백인들이 도시를 떠나자 세금이 줄었고 도시는 가난해졌다. 경제 · 정치 · 교육 등 모든 힘이 도시를 떠난 것이다. 도시는 완전히 해체되기 시작했다. 그러한 배경의 결과가 바로 뉴헤이븐의 슬럼이었다. 그곳에는 오직 세상에 대한 분노와 적의만으로 가득한 사람들이 밤에는 온갖 범죄를 저지르고 다녀 거리에 어둠이 내리면 아예 학교 바깥 출입을 하지 않는 게 관례였다. 밤거리를 다니다 여학생들이 강간을 당하고 남학생들이 지갑을 털리고 칼에 찔렸다는 소문들이 심심치 않게 나돌았다. 사정은 더욱 심각해져 심지어 캠퍼스 안에까지 강도들이 난입, 밤늦게 캠퍼스 안 교회에 가던 대학 후배 한 명이 흑인 강도들에 의해 살해되었다는 소식을 나는 졸업 후에 친구들로부터 전해 들었다.

빈민들의 삶은 하루하루가 투쟁이었다. 우리가 좋은 건물, 좋은 환경에서 이른바 진리를 추구한다며 한가롭게 논쟁할 때 그들은 바로 길 하나 건너편에서 삶에 대한 한오라기 희망이나 목적도 없이 살아가고 있었다.

나는 신입생 때 기숙사에서 살았다. 예일 대학 기숙사는 중세 요새처럼 디자인되어 있다. 둘레에는 물이 흐르는 해자(垓字)가 둘러쳐져 있었다. 예일 대학 캠퍼스 전체가 그렇지만 기숙사에 들어서면 마치 유럽의 멋스런 중세 건물에 와 있는 듯한 착각이 일 정도다.

그런데 기숙사 둘레에는 아주 높은 담장이 쳐져 있었다. 나는 처음에 그것을 이상히 여겼으나 나중에 그 담장이 어떤 세계를 가르는 '경계'임을 깨달았다. 그것은 마치 대륙과 대륙을 나누는 건널 수 없는 바다 같기도 했고 감히 건너가는 것을 시도조차 하지 말아야 할 어떤 금기 같았다. 뉴저지 주 중산층 가정에서 태어나 고만고만한 사람들을 만나며 어린 시절을 보낸 나에게 예일 대학의 주변환경은 충격이었다. 나야말로 어떤 경계 안에 갇혀 좁은 세상만 보고 살아 온 것이 아닌가 하는 생각이 들었다.

독특한 룸메이트, 네드

예일 대학은 나에게 많은 인간관계의 경험을 가져다준 곳이다. 전세계에서 가장 똑똑한 학생들이 모이는 예일 대학의 입학생들은 첫 1, 2년간을 기숙사에서 보내는데 1학년 때 룸메이트는 학교에서 정해준 대로 따라야 한다. 그러나 2학년 때부터는 선택할 수 있다. 기숙사에서 자취방으로 옮기는 경우가 왕왕 있어 룸메이트가 바뀌는 경우가 있는데 나는 1학년 때 무려 네 명의 룸메이트와 번갈아가며 한방을 썼다.

첫 룸메이트는 미국의 상류층 가정에서 태어난 친구였다. 그의 아버지는 당시 미국 정부에서 요직을 지내고 있던 사람이었으며 대대로 4대째 그 집 아들들이 모두 예일 대학에 입학한 '예일 대학 패밀리'였다. 그는 용돈이 많았는지 풍족하게 먹고 쓰며 지냈다. 여자친구도 심심하면 갈아치우는 플레이보이 스타일이었다. 두번째 룸메이트는 뉴욕에서 온 유태인이었는데 수학과 역사에 천재적이었다. 나도 천재소리깨나 듣고 자란 사람이었는데 그 아이의 연산능력과 역사에 대한 해박한 지식 앞에서 번번이 탄성을 내질러야 했다. 세번째 룸메이트는 시리아에서 온 학생이었다. 그는 시리아에서 가장 똑똑한 학생으로 뽑혀 정부 장학생으로 온 친구였다.

내가 본격적으로 얘기하고 싶은 친구는 1학년 때 마지막 룸메이트였던 네드다. 그는 유태인 어머니와 태국인 아버지 사이에서 태어났는데 국적은 태국이었다. 그는 동성애자였다. 평소에는 영판 틀림없는 남자인데 일주일에 한두 번씩 여장(女裝)을 한다. 태국에는 동성애자가 많고 성전환 수술을 하는 남자들이 많다고 듣긴 했지만 그것을 옆에서 확인한 것은 처음이었다. 네드가 수염은 물론 팔다리털을 다 깎고 우아한 드레스에 화려한 메이크업을 비롯, 귀고리에다 팔찌, 목걸이까지 하고 교실에 나타나는 날이면 교수님과 학생들은 경이에 찬 표정으로 그를 쳐다보았다. 네드의 애인들은 모두 남자였는데 인종을 가리지 않았다.

나는 처음에 그가 동성애자임을 알고 하늘이 무너지는 줄 알았다. 우와! 앞으로 어떻게 지내나. 나는 그 당시만 해도 나중에 신부나 수도사가 될지도 모른다고 생각했던, 아주 신심이 두터운 카톨릭 신자였기 때문에 동성애자는 신의 뜻을 어기는 자이므로 죽으면 지옥에 갈 것이라고 굳게 믿고 있었다. 그래서 나는 그를 마치(솔직히 말해) 더러운 벌레 대하듯 했다. 그와 얘기하는 것은 물론 눈도 마주치기 싫었다. 칫솔, 타월 등도 혹 그의 것과 섞일까 두려워 목욕탕에 두지 않고 내 책상 서랍 안에 넣어놓고 다녔을 정도였다.

그러던 내가 차츰 그에게 호기심을 갖기 시작한 것은 그의 솔직함과 착한 마음 때문이었다. (물론 단순한 친구 사이로서이니까 독자 여러분들은 이상한 상상을 하지 말아주시길 바란다.)

그는 숨기는 게 없었다. 자기가 동성애자라는 사실을 부끄럽게 여기지도 않았으며 여장하는 것을 좋아하는 자기 성격을 애써 감추려 하지도 않았다. 그가 화장을 하고 면도를 할 때 어찌나 정성스럽게 하는지 나는 그런 그를 보면서 자기 몸에 저렇게 정성을 들이는 사람도 있구나 놀랄 정도였다. 그는 나에게 같이 저녁 식사를 하자고 몇 번씩 제안했지만 나는 싸늘하게 거절했다. 그런데도 그는 나에게 변함없이 친절했다.

그러던 어느 날이었다. 내가 심한 독감에 걸려 한 발짝도 움직이지 못하고 침대에 누워 있을 때 네드가 나에게 약과 음식을 사다주었다. 나중에 알았는데 그는 나 때문에 수업까지 빠졌다고 했다.

그 일이 계기가 돼 나는 그에게 점차 마음을 열었고 인간의 품성에 대해 더 깊이 생각하게 됐다. 기독교적 잣대에 따르자면 그는 지옥에 가야 할 사람이었다. 그러나 여러 삶의 모습에서 그는 나보다 훨씬 사랑이 많았으며 착하고 관대했다. 그는 악마가 아니라 모두에게 친절하고 항상 웃는 얼굴을 지닌 착하고 훌륭한 사람이었다.

단지 그가 남자이기 때문에 남자를 사랑하면 안 되나? 그 당시 내 주위 친구들 중엔 처음 만난 여자들과 술을 마시고 내친김에 사랑 없는 잠자리를 하기도 했다. 그런데 그는 단지 남자와 잠자리를 한다는 이유만으로 지옥으로 가야 하나. 그건 아닌 것 같았다. 더구나 그의 사랑은 남녀간의 일회적인 사랑보다 오히려 더 진지하고 헌신적이고 희생적이었다. 가장 중요한 것은 누구와의 관계가 아니라, '관계' 그 자체가 아닐까.

나는 그와 친해졌고 2학년 때 우리는 다시 룸메이트가 되기로 했다.

고등학교 때 입시에만 몰입해 있다 대학에 들어가 자유를 만끽하며 수많은 경험을 하게 되는 한국 학생들처럼 미국 학생들에게도 대학은 자유와 도전의 장이며, 학문적 · 인간적 · 사회적인 여러 면에서 완전히 새로운 세계다.

예일 대학은 내 삶을 키워준 비료와도 같은 곳이었다.

나는 미국의 386세대

1983년에 대학을 들어갔으니 굳이 한국식으로 학번을 따지자면 나는 83학번이다. 80년대에 대학교에 들어갔고 60년대에 태어난 30대이니 미국의 386세대라고나 할까. 한국의 386세대가 학교 다닐 때 데모도 많이 하고 4 · 19세대와는 또 다른 정치적 관심이 높았던 것과 마찬가지로 미국의 386세대인 나 역시 학교 다닐 때 데모를 했던 운동권 학생이었다.

내가 학교를 다니던 80년대 미국의 학생운동은 베트남 전쟁과 워터게이트 사건이 터졌을 때 극에 달했던 학생운동과는 이슈가 달랐다. 레이건 정부에 대한 반대 데모가 주로 많았다. 로널드 레이건은 1980년에 대통령으로 당선되었으니 내가 대학에 입학하던 해는 첫 임기가 끝나가던 무렵이었다. 당시에는 미소간에 군비경쟁이 극에 달했던 때라 핵전쟁이 일어나지 않을까 하는 불안감이 팽배했다. 그것은 바로 우리의 삶과 직결되는 문제였기 때문에 지식인들이 관심을 갖지 않을 수 없었다.

레이건 대통령은 소련을 자극하는 발언을 자주 했다. 또 미국의 경제적 · 정치적 이득을 관철하고 공산주의의 확산을 막는다는 명분으로 개발도상국들의 독재정부를 지원하는 정책을 폈다. 또 니카라과의 콘트라 스캔들, 엘살바도르의 온두라스 사건 등 중남미 독재자들에게 돈과 무기를 주면서 통제하고 그들이 정권을 유지하기 위해 반정부군과 벌이는 내전을 북돋는 한편, 한국과 필리핀의 군사독재자들을 도왔다.

지난 여름에 나는 전남 광주에 갈 일이 있어 들렀다가 광주 망월동 국립묘지에 갔었다. 평소부터 가보고 싶었던 곳 중 하나였는데 여의치 못하다 드디어 기회가 온 것이었다. 그곳을 둘러보며 충격을 받았다. 내 또래 젊은이들, 아니 나보다 어린 학생들이 아무 죄도 없이 군인들의 총칼에 맞아 죽어가는 사진들을 보면서 벌린 입을 다물지 못했다. 나는 고등학교 때 광주 항쟁에 대한 기사를 〈뉴욕 타임스〉에서 읽은 기억이 있다. 그때도 한국 군사독재 정부의 야만성에 대해 혀를 찼었는데 직접 현장에 와서 보니 마치 내 형제라도 죽은 것처럼 마음이 아팠다. 많은 한국 사람들은 광주 학살에 미국이 개입했다고 믿는다. 그리고 여기저기서 그것과 관련한 증거가 나와 있다. 미국인의 한 사람으로서 참으로 부끄럽고 죄스럽다.

대학 재학 당시 나는 미국 사회의 부조리와 모순에 접하면서 나의 이 아름다운 생애, 내가 누리고 있는 세계에서 가장 좋은 삶의 조건은 다른 나라 수백만 사람들의 고통 위에 세워진 것이라는 생각을 하게 되었다. 내가 속한 사회는 수많은 가난한 나라 사람들의 희생 속에서 만들어진 것이었다. 예를 들어 미국에서 내가 사먹는 바나나와 오렌지는 풍부했고 질 좋은 청바지는 매우 쌌다. 그 이유는 미국 정부의 지원을 받은 남미 독재정부가 자국 농부들에게 저물가를 강요했기 때문이었다. 내 삶은 오로지 그들의 고통을 기반으로 형성된 삶이었다. 물처럼 펑펑 마셔대던 코카콜라에 사용되는 설탕의 원료인 사탕수수는 알고 보니 중남미의 자메이카나 도미니카 공화국 농부들의 저임 노동에서 나온 것이었다. 어쩌면 내가 하는 모든 행동, 나를 둘러싼 모든 경제적 행위가 이처럼 다른 사람의 고통에서 비롯되었고 갈수록 그들의 삶은 더 비참해지고 있는 것은 아닐까. 싼 콜라를 마시면서 갈증을 해소할 때마다 나는 그들의 뺨을 때리고 있는 것 같았다.

나는 이 모든 상황을 바꾸고 싶었다.

한국의 광주 항쟁은 1980년 5월이었는데 당시는 미국의 대통령 선거철이었다. 지미 카터와 로널드 레이건이 맞붙었는데 당시 한국의 상황은 아주 격렬했다. 카터는 아주 평화롭고 부드럽고 자비로운 마음을 가진 대통령이긴 했지만 한국에서 격렬한 데모가 일어나고 사회가 불안해져 남북 관계까지 여파가 미칠까 걱정했다. 그래서 '개입' 하지 않고 '수수방관' 하는 정책을 폈다.

반면 다음해 1월 취임한 로널드 레이건 대통령은 아예 한국을 비롯한 아시아와 중남미 개발도상국들의 독재정부를 지원하는 방식으로 미국의 힘을 키워나갔다. 비단 대외적인 문제에만 힘의 정치를 편 것이 아니었다. 레이건 정부는 빈민계층에 대한 관심이 전혀 없었다.

오직 부자를 더 부자가 되게 만드는 정책, 가난한 사람은 더욱 가난하게 하는 정책을 폈다. 부자들의 세금은 깎아주는 한편 그동안 케네디 · 존슨 · 카터 정부 때까지 이어졌던 보조금은 줄이고 사회보장제도를 없앴다. 이 정책으로 가장 피해를 본 계층은 물론 흑인 하층민들이었다.

또한 미국 역사상 유례없는 무기 생산경쟁을 벌였기 때문에 재정 적자와 무역적자라는 쌍둥이 적자에 시달렸다. 이 가운데 가장 혜택을 많이 본 계층이 군산 복합체를 위시한 부자들이었다. 그러나 정부에서는 정부 정책에 대한 비판의 말이 나올 때마다 빈민 계층을 위한 정책을 개발하기 위해 노력중이라고 말했다. 한편으로는 게을러서 일하고 싶어하지 않는 그들에게 정부가 그동안 너무 많은 혜택을 주어왔다고 목소리를 높였다.

나는 대학 재학 당시 가난한 뉴헤이븐에 살고 있었기 때문에 하층민들의 삶이 얼마나 비참한지 그리고 정부가 그들을 위해 아무것도 하지 않고 있다는 것을 눈으로 확인할 수 있었다. 그들은 화가 나 있었으며 하루하루 희망을 잃고 자포자기하며 절망했다. 시간이 지날수록 뉴헤이븐은 범죄만이 판치는 무서운 도시가 되었다. 슬럼가의 칙칙하고 어둡고 절망적인 분위기만이 도시를 감쌌다.

공부를 하는 이유

대학생활은 이처럼 모순과 의문의 연속이었다.

교과서와 다른 현실, 여기에 최고의 지성이라는 교수님들이 보여주는 말과 행동의 괴리는 열정과 이상으로 가득했던 나에게 하나의 거대한 모순덩어리였다.

철학 · 문학 수업을 들을 때면 교실에서 수많은 아름다운 말들에 둘러싸여 마치 진리라는 섬을 향해 마음껏 질주하는 항해사들처럼 들떠 있었지만 학교만 벗어나면 완전히 다른 세상이 펼쳐져 있었다. 우리가 높은 담장 안에서 맛있는 음식을 먹으며 말의 성찬을 떠벌리고 있을 때 뉴헤이븐 슬럼가에서는 수많은 사람들이 퀭한 눈으로 휴지통을 뒤지고 있었다.

교수님들은 한결같이 진리를 설파하는 데 열정적이었다. 수업시간마다 정의, 올바른 삶, 자비, 봉사라는 것이 무엇인지 목소리를 높였다. 그러나 수업이 끝나면 그들의 고민이란 누가 다음 총장이 될 것인지, 교과목을 어떻게 개정할 것인지 하는 것들이 전부였다. 그들이 진리를 설파하는 그 순간에도 바로 학교 담 너머 이웃들은 갈수록 열악해지는 생활로 고통받고 있었지만 교수님들은 주말이 되면 가족들과 함께 멋진 차를 타고 도시를 서둘러 벗어났다. 정부 관료들은 또 어떤 사람들인가. 하버드, 예일, 프린스턴, 스탠퍼드 등 하나같이 내로라 하는 대학을 나왔으며 전직 교수이기도 했던 그들이 펴는 정책이란 또 무엇인가. 결국 가난한 사람들의 삶을 더 힘겹게 만드는 것이 아닌가.

나는 그런 교수나 정부 관료들의 삶이 비도덕적이라거나 나쁘다고 하는 가치판단을 넘어 결국 내가 교실에서 그들에게 배우는 지식이란 것이 뭔가 완벽하지 않을지도 모른다는 회의에 시달렸다.

우리가 공부를 하는 이유는 무엇인가.

철학을 공부하며 진리를 탐구하는 이유는 무엇인가.

물론 공부를 열심히 해서 노벨상도 타고 훌륭한 학자도 될 수 있다. 그러나 그런 것은 우리에게 안정된 직업을 가져다줄 수는 있어도 진정한 삶은 가져다주지 않는 것은 아닐까. 이같은 회의와 의심은 젊은 나와 우리들을 '투사'로 만들었다. 미국의 학생운동은 베트남 전쟁이 한창이던 1970년대 초반에 극에 달했다가 후반으로 접어들면서 잠잠해진 뒤 1980년대에 다시 불이 붙었다. 어렸을 때부터 신문과 방송을 통해 반전 · 반정부 데모를 접하고 자란 나의 세대는 부모님 세대와는 또 다른 반항아들이었다. 베트남 전쟁을 통해 다른 나라들이 미국에 대해 갖고 있는 반미 감정을 읽을 수 있었고 워터게이트 사건을 통해 정부란 믿어서는 안 되는 집단이라는 인식을 갖고 있었다.

그런데 어느 날 우리는 대학 당국이 남아프리카에 투자를 하고 있다는 소식을 들었다. 이건 도저히 받아들일 수 없는 행동이었다. 당시 남아프리카에는 백인들의 상상을 초월하는 흑인 인권침해(아파르트헤이트)가 자행되고 있었는데, 자유와 인권을 최고의 가치로 여기는 미국 정부와 명문 대학재단들이 이를 도와주고 있다니…… 이건 말도 안 된다. 남아프리카에 있는 미국의 금 · 다이아몬드 · 철광 · 화학 · 석유회사들은 흑인들의 값싼 노동력과 본국에서 들어오는 자본을 바탕으로 돈을 쓸어담고 있었다. 오직 이득만 난다면 그 나라 사람들이 어떻게 살든 상관할 바가 아니었다. 예일 대학뿐 아니라 미국 전역의 대학교에서 그와 관련한 데모가 일어났다. 학생들 중 몇몇은 생활비를 한두 푼씩 모아 남아프리카에 보내기도 했다. 또 한국의 야학처럼 뉴헤이븐 슬럼가에서 가난한 흑인 학생들에게 공부를 가르쳐주기도 했다. 몇몇 학생들이나 교수님들은 우리가 너무 이상적이라고 걱정했지만 우리는 진정한 길, 바른 길을 찾아 진리의 삶을 살기를 원했다. 예일 대학의 교훈은 럭스(Lux)와 베리타스(Veritas)다. 럭스는 라틴 말로 '빛'이라는 뜻이며 베리타스는 '진리'라는 말이다. 우리는 우리 학교가 이 세상의 빛과 진리가 되기를 바랐다.

한국의 데모는 최루탄과 다연발탄이 오가고 돌과 화염병이 난무해 격렬하지만 우리는 그 정도는 아니고 구호를 외치거나 대형 집회를 갖는 것이 보통이다. 경찰들은 우리 주위를 에워싼 뒤 으르기도 하고 때로는 협박도 하면서 집회를 방해한다. 나는 집회가 열리는 날이면 핸드 마이크를 붙잡고 연설을 하기도 했고 시위대를 지휘하기도 했다.

3학년이 되던 1986년부터 학생 운동에 꽤 열심히 참여하기 시작했는데 그 해는 레이건 대통령의 재선 3년째가 되던 해였다. 레이건 행정부는 중남미와 아프리카를 부추겨 여전히 전쟁을 선동하고 있었고 거리에는 홈리스와 거지들이 늘어나기 시작했다. 빈부 격차는 더욱 심해지는 것 같았다. 1학년 때 뉴헤이븐 거리를 걸을 때와 3학년 때는 확실히 달랐다. 대낮부터 술에 취해 거리에 그냥 누워 있는 사람들이 눈에 띄게 많이 늘었다.

남아프리카의 상황도 더욱 악화되었다. 많은 흑인들이 백인 정부에 의해 학살당했다. 그 시절 남아프리카 흑인 해방운동의 지도자 넬슨 만델라는 예일 대학 학생들에게 마틴 루터 킹에 이은 또 하나의 영웅이었다.

행동하는 학생의 데모

그 당시 우리는 특이한 형태의 시위를 벌였다. 총장 본관 앞에 쉔티(shanty)를 만들어 놓고 거기서 숙식을 하며 농성을 벌였던 것이다. 쉔티란 남아프리카 흑인 빈민들이 살고 있는 텐트 같은 집이다. 우리는 고물상에 가서 낡은 텐트를 사 모은 뒤 총장 본관 앞에 펼쳐 놓고 들어가 앉아 숙식을 하면서 6개월 동안이나 농성을 벌였다. 쉔티 안에서 낮에는 남아프리카 정치상황과 관련된 세미나를 하고 그 나라 작가들이 지은 시와 소설을 읽으며 그들의 고통이 마치 우리의 고통인 양 함께 가슴 아파했다. 아파르트헤이트의 고통은 단지 먼 나라 이야기가 아니라 바로 지금 여기 내 이웃의 이야기라는 것을 웅변하고 싶었다.

그러던 어느 날, 한밤중에 충격적인 일이 벌어졌다. 학교 직원들이 1백여 명이나 동원되어 쉔티를 모조리 철거한 것이었다. 마침 우리는 다음날 세미나 준비 때문에 아무도 그곳에 남아 있지 않았었다.

다음날 아침, 우리는 경악했다. 왜 무엇 때문에 교직원들이 그 한밤중에 동원되어 우리의 시위를 방해하는가. 우리는 분노했고 사건은 점점 커져갔다. 교수님들까지 우리의 뜻에 동조하기에 이른 것이다.

우리는 수업을 중단하고 캠퍼스에 모여 학교 당국을 규탄하는 대규모 집회를 가졌다. 평소 우리에게 우려의 눈빛을 보내던 교수님들까지 가세했다. 심지어 코넬 웨스트 교수까지 집회에 참가하여 연설을 하기에 이르렀다. 웨스트 교수는 당시 예일 대학 철학교수로 예리한 해석과 열강으로 학생들의 존경을 한몸에 받고 있었다. 미국 지성계를 이끄는 대표적 리더이기도 한 그는 지금은 하버드 강단에서 학생들을 가르치고 있다.

"이것은 대학 당국의 폭거나 다름없다. 이 자유의 땅 미국, 이 지혜의 대학 예일에서 어떻게 이런 일이 일어날 수 있다는 말인가. 자유란 그저 교과서에나 나오는 박제된 언어란 말인가!"

웨스트 교수의 연설은 학생들을 고무시켰다. 그날 모인 학생들은 모두 4천여 명. 우리는 한목소리로 대학 당국을 성토했다.

'그래, 진리란 책에 나와 있는 지식이 아니야. 한낱 말의 성찬도 아니야. 진리란 행동이야. 더이상 교과서에서 진리를 외우는 것은 소용없는 일이야.'

나는 그날을 기점으로 그야말로 '행동하는 학생'으로 변했다.

우리는 집회가 끝난 뒤 그전보다 두 배나 더 크게 쉔티를 짓고는 밤새 그곳을 지켰다. 우리는 매일 집회를 열고, 미국 내 흑인 사회의 지도자들을 불러 강연을 들었다. 그렇게 몇 달이 지난 어느 날 밤,

이번에는 경찰이 쉔티로 들이닥친다는 소문이 갑자기 돌았다. 우리는 경비를 더욱 강화하고 쉔티에서 꼬박 뜬눈으로 밤을 지새고 있었다. 아니나다를까, 새벽 세 시가 조금 지난 시간, 정말 경찰들이 들이닥쳤다. 그들은 쉔티를 무자비하게 철거하면서 그 안에 있던 학생들을 잡아 차에 실었다. 우리는 그 자리에서 결정을 내렸다. 저항하지 말자. 간디나 마틴 루터 킹의 비폭력 저항정신을 그대로 받들자. 우리는 그 자리에 그냥 누워버렸다. 경찰들은 누워 있는 우리를 하나하나 일으켜 업다시피 해서 경찰차에 태웠다. 물론 나도 그중 한 사람이었다.

경찰서에 도착하자마자 우리는 유치장에 가둬졌다. 바지 벨트와 운동화 끈 등 자해도구나 무기가 될 만한 것들은 모두 압수당했다. 나는 생전 처음 경찰서 유치장이라는 곳을 구경하게 되었다. 겨우 두세 평 되는 공간에 10여 명이 앉아 있는 그곳은 칸막이조차 없이 드러나 있는 변기통, 그리고 그곳에서 풍겨나오는 악취가 코를 찔렀다. 자욱한 담배연기가 주위를 무겁게 짓누르고 있었다.

새벽인데도 경찰서 안은 흡사 도떼기시장을 방불케 했다. 피의자들은 대부분 흑인들이었다. 유치장에 갇힌 그들은 '변호사를 불러달라'고 떼를 썼고 그럴 때마다 경찰은 쌍소리를 해가면서 '입 닥쳐, 까불면 영원히 감옥살이 시킬 거야'라며 협박했다. 경찰은 피의자들을 마치 더러운 동물이나 되는 듯 다루었다. 그러면 피의자들은 더욱 분노했고 차마 입에 담지 못할 말들을 경찰에게 퍼부어댔다. (이 대목에서 아마 몇몇 독자는 인권의 나라 미국 경찰의 행동에 대해 이해를 하지 못할 것이다. 그러나 여러분들은 1992년에 일어났던 흑인청년 '로드니 킹 사건'을 기억하는가. 그때 미국 경찰은 경찰봉을 그의 항문에 쑤셔넣었다. 그게 바로 미국 경찰의 이면이다.) 밤새 범죄자들이 잡혀왔고 일부 피의자들은 두 손이 묶인 채 경찰에게 맞기까지 했다. 경찰은 그러고 나서 '기분이 어때' 하며 놀려댔다.

난생 처음 겪은 유치장 경험은 더욱더 정부의 권위에 대해 진절머리를 내게 한 사건이었다.

그날 유치장 바닥에 앉아 나는 선과 악의 경계가 무너지는 것을 보았다. 도대체 선이 무엇이고 악이 무엇인가. 이곳은 선과 악이 있는 곳이 아니라 오직 권력을 가진 자와 그렇지 못한 자들이 있는 곳이다. 후에 나는 니체의 책을 읽다가 다음과 같은 그의 통찰에 혀를 내둘렀다.

"우리는 선과 악을 신이 만들었다고 알고 있지만 사실 선이란 힘에 의해 만들어지는 것이다. 힘이 있으면 선이고 없으면 악이다."

한국의 상황도 이와 크게 다르지 않다고 본다. 몇 년 전 교도소 탈주범들이 경찰에 잡히면서 '유전무죄 무전유죄'라고 했다던가. 힘이 곧 돈인 현대사회에서는 선악도 역시 돈에 의해 만들어지는 것 아닌가.

힘이야말로, 돈이야말로 선악을 가르는 기준이 아닌가. 나는 그날 밤 경찰서 유치장에서 그런 생각을 하며 뜬눈으로 지샜다. 다음날 풀려나온 후 더욱더 열심히 집회를 계획하고 데모에 뛰어들었다. 내 친구들 몇몇은 며칠 후 학교 본관을 점거하기도 했다. 학생들은 본관에 있는 예산처 사무실에 갑자기 뛰어 들어가 직원들을 모두 바깥으로 내보내고 바리케이드를 치고 사흘간이나 농성을 벌였다. 예산처는 학교 재단이 투자에 관해 일을 보는 사무실로 재단측이 더이상 남아프리카에 투자하지 말라는 상징적인 의미로 학생들이 그곳으로 쳐들어간 것이다. 그 정도로 하루하루 사태는 격렬하게 진행됐다.

학생들의 점거 농성이 강제 해산되던 날 나는 밖에서 집회를 주도했다. 그날은 여느 날보다 더 경찰과 학생들 사이에 긴장이 흘렀다.경찰은 우리 주위를 에워싼 채 '정오까지 해산하지 않으면 강제 해산하고 전원 연행한다'며 을러대고 있었다. 우리는 아랑곳하지 않고 노래를 부르고 구호를 외쳐댔다.

정오까지 경찰은 우리에게 꽤 호의적이었다. 마치 데모대를 보호하는 것 같았다. 실수로 학생들의 발을 밟으면 미안해 어쩔 줄 몰라 했다.

그러다 마침내 정확하게 시계바늘이 열두 시를 지나자 경찰의 강제 해산이 시작되었다. 경찰들은 돌변했고 그 시간 이후부터 우리의 인권은 완전히 사라졌다. 여학생이고 남학생이고 가릴 것이 없었다. 곳곳에서 비명소리가 터져나왔다. 그 과정에서 나는 경찰들이 여학생들의 가슴을 붙잡는 것을 보고 분노로 몸을 떨었다. 인권이란 이렇게 한낱 종이 쪼가리 같은 것인가. 심지어 자유의 나라 미국에서조차?

나는 또 한번 경찰에 붙잡혀 구류를 살았다.

그동안 나는 〈뉴욕 타임스〉〈워싱턴 포스트〉지를 통해 한국의 데모에 관해 많은 소식을 접했다. 물고문으로 죽은 대학생, 시위하다 최루탄에 맞고 경찰의 쇠파이프에 맞아 죽은 대학생들의 이야기도 알고 있었다. 나는 그런 소식을 읽을 때마다 너무 큰 충격을 받았다. 친구들과 그 얘기를 하면서 한국의 대학생들의 처지가 너무 안됐다고 느껴왔다. 미국 경찰에 분노하면서도 다른 나라 대학생들에 비하면 우리는 아무것도 아니라고 생각해왔다. 그러나 그날만큼은 나도 마찬가지 상황이었다. 남의 일이 아니었다.

그 일이 있고 난 몇 달 뒤 학교에 새 총장이 선임되었다.

그의 이름은 베노 슈미트. 미국 헌법에 나오는 언론의 자유를 기초한 유명한 법률가로 미국 내에서 영향력 있는 지식인 중 한 사람이었다. 우리는 그에 대한 기대가 컸다. 마침내 우리를 이해하고 도와줄 총장이 선임됐다고 반겼다.

그러나 우리의 기대는 여지없이 빗나갔다. 그의 취임식날, 전국의 대학 총장들이 다 모였다. 영국의 옥스퍼드, 케임브리지, 독일 하이델베르크 대학 총장들까지 왔다. 아주 대대적인 행사였다. 우리는 그날 행사를 방해하기로 하고 큰 집회를 계획했다. 이를 미리 눈치 챈 경찰은 말을 타고 와 데모하는 우리들을 강제 해산시키려 했다. 심지어 말발굽으로 학생들을 내려치기도 했다. 미국에는 경찰이 데모대를 직접 진압할 수 없으니까 종종 말을 타고 와 학생들을 진압한다. 좀 코믹한 광경이 아닐 수 없다. 시위가 어찌나 격렬했던지 그날 행사에 참석했던 한 대학 총장님은 갑작스런 사태에 충격을 받고 심장마비를 일으켜 병원으로 실려 가기도 했다. 다행히 생명에는 지장이 없었다.

어쨌든 그날 총장 취임식 행사는 완전히 망쳐졌다. 그날 밤 우리는 운동장에 모여 남아프리카 흑인 차별을 고발하는 다큐멘터리 영화를 상영했다. 흑인 해방을 외치는 젊은이들이 실종되고, 맞고, 죽음을 당하는 고발 영화였다. 우리는 그 영화를 보면서 너무 슬프고 기가 막히고 분노에 차 울음을 터뜨렸다. 그리고 다음 순간 화면에 가득 차는 글씨 '메이드 인 아메리카.' 인간으로서의 최소한의 권리를 요구하는 젊은 흑인 청년들을 쏘고 찌르고 짓밟는 남아프리카 군인들의 총과 대포, 최루탄에 붙여진 '메이드 인 아메리카' 라벨. 우리는 부끄러움과 죄스러움에 그저 고개만 떨구었다.

나는 그런 일을 겪으면서 점점 마음속에 분노로 가득 찼다. 모든 권위에 도전하고 싶었다.

무엇이 진리이고 무엇이 철학이고 무엇이 현실이냐.

3학년 때 나와 부모님과의 관계는 최악이었다. 나는 학교에 다니면서 주말마다 뉴저지의 집에 갔는데 그때마다 부모님과 정치적 견해 차이로 논쟁을 벌였다. 부모님은 레이건 정부의 열렬한 지지자였고 레이건 대통령의 소련 공격 발언을 지지하기도 하셨다. 나는 그때마다 레이건 정부의 정책이 빈부 격차를 가속화시키고 있으며 남아프리카의 흑인 차별정책을 부추기고 있다며 조목조목 따졌으나 부모님은 그저 걱정스러운 눈으로 나를 지켜볼 따름이었다.

평화롭던 우리의 저녁 식탁은 불쾌하게 끝날 때가 많았다. 특히 아버지는 가끔 큰소리로 내 생각을 꾸짖기도 하셨다. 나는 점점 부모님에 대해 실망하기 시작했다. 3학년 여름에는 가족들과 함께 가는 여름휴가도 동행하지 않았다. 집에 가는 날도 점점 뜸해지기 시작했다. 아니 어떻게 저렇게 지성적이고 종교적 신심이 두터우신 분들이 저런 생각을 가지실 수 있을까. 부모님이 얘기하는 사랑의 실체가 바로 그런 것이었다는 말인가. 한낱 머릿속 아이디어였다는 말인가.

나는 언제나 화가 난 사람처럼 미간을 찡그리고 누군가 나를 자극하기만 하면 언제라도 공격할 수 있는 호랑이처럼 발톱을 세우고 으르렁거렸다. 나뿐 아니라 많은 친구들이 마찬가지였다. 우리는 이

사회가 싫었고 꽉 막힌 부모님 세대가 싫었다. 친구들은 날마다 취했고 심지어 어떤 친구들은 마약에도 손을 댔다. 이 세상은 온통 그른 것 투성이라고 여겨졌다. 오직 분노에 찬 '행동,' 그것만이 나를 구원할 것이라고 여겼다. 그러던 내가 데모를 그만두게 된 결정적 사건이 터졌다. 그것은 결국 나의 삶을 다시 처음부터 흔들어댄 고통의 시작이기도 했다.

내가 나를 모른다

난리통 속에 치러진 총장 취임식이 끝난 며칠 뒤 새 총장 주재하에 예일 대학 재단이사회가 열렸다. IBM, 코카콜라 등 〈포춘〉지에서 매년 선정하는 상위 5백개 대기업에 드는 최고 경영자들 20여 명이 이사회 멤버로 학교를 방문했다. 그날 이사회는 새 총장 주재하에 처음 열리는 이사회로 향후 몇 년 동안 예일 대학의 투자 계획을 정하는 중요한 날이었다.

예일 대학 재단은 당시 저축액이 20억 달러에 이를 정도로 부자 학교였다. 지금은 90억 달러에 이른다. 예일 대학은 그때까지 총 4억 달러의 돈을 남아프리카에 투자하고 있었다. 우리는 그 돈을 하루 빨리 모두 회수하라고 요구했다. '돈이 그렇게 많으면서 왜 하필이면 남아프리카 흑인들을 통해 이득을 보려 하느냐. 그것은 범죄다.' 우리는 그렇게 주장했다.

이사회는 오전 일찍 열렸다. 4천여 학생들이 아침 일찍부터 총장 본관 앞 건물에 모였다. 그날도 기마 경찰들이 학교에 들이닥쳤다. 이사회 참석진에게 혹시 불상사라도 생길까봐 경찰은 오전부터 진을 치고 있었다.

나는 핸드 마이크를 잡고 구호를 외쳤다.

"Divest now!"(투자한 돈을 회수하라)

당시 우리는 내심 일이 잘 풀릴 것이라는 기대를 갖고 있었다. 이사회 회장으로 사이러스 밴스가 선임되었다는 소식을 들었기 때문이었다. 사이러스 밴스. 그는 유능한 미국 관료였다. 카터 행정부 때 외무부 장관이었던 데다 합리적이고 건전한 가치관으로 미국 지식인 사회에서 명망이 두터웠다. 우리는 그런 사람이 이사회 의장에 앉았으니 우리의 순수한 뜻이 받아들여지리라 생각하고 있었던 것이다. 그러나 점심시간에 대변인이 나와 전한 말은 우리의 기대를 완전히 무너뜨리는 것이었다. 남아프리카 투자에 관한 모든 사항을 다음 이사회로 미루기로 했다는 것이었다. 그리고 오늘 이사회가 끝난 직후 사이러스 밴스 회장이 남아프리카에 직접 가서 현지 사정을 돌아본 뒤 나중에 그것을 이사회에 보고할 것이며 이사회는 그의 보고를 바탕으로 투자 방침을 결정할 것이라고 말했다.

우리는 실망과 분노로 가득했다. 아니, 남아프리카 현지 사정을 돌아보는 것이 지금 이 상황에서 과연 필요한 일인가. 남아프리카 상황이란 이미 신문, 잡지에서 다룰 만큼 다뤄 모두 알려지지 않았는가. 미국과 프랑스의 일부 기업들은 벌써 그곳에서 철수를 시작한 곳도 있다. 심지어 캘리포니아 버클리 대학 당국은 이미 철수를 시작했다. 이런 상황에서 현장 조사가 필요하다는 말인가.

우리는 예일 대학이 한시라도 빨리 투자 회수를 하면 다른 기업과 대학들이 모두 철수할 것이라 생각했다. 따라서 예일 대학 재단의 결정은 빠르면 빠를수록 좋다고 생각했다. 만약 예일이 미적미적하면 다른 곳들도 그대로 있을 것이라고 생각했다.

그런데 결정을 연기한다고?

대변인의 말이 끝나자마자 문이 열리면서 이사회 멤버들이 쏟아져 나오기 시작했다. 첫번째로 걸어 나온 사람이 바로 사이러스 밴스였다.

나는 개인적으로 그를 만난 적이 없었다. 그러나 나는 이미 매스컴을 통해 성가를 높이고 있었던 그를 미국 사회의 존경하는 지식인의 한 사람으로 꼽아놓고 있었다. 나는 그가 아주 정의로운 사람이라고 생각했다. 그러나 그의 얼굴을 보는 순간 배신감을 느꼈다. 단지 이사회의 결정을 그대로 따르는 부품 같은 사람, 심지어 돈의 노예라는 생각까지 들었다. 나는 그 순간 정치적 해결은 필요가 없다는 걸 깨달았다. 아무리 훌륭한 정치가, 도덕적인 사람이라도 어떤 조직에 묶이면 자유로운 결정을 내리지 못한다는 점을 깨달았다. 오직 조직과 힘의 논리에 따라 움직인다는 것을 알았다. 그들은 말로는 신의 사랑을 얘기했지만 그것은 단지 말뿐이었다. 사랑이라는 말로 포장한 이기주의자들에 다름아니었다.

학생들은 소리를 지르고 구호를 외쳐댔다. 어떤 학생들은 양팔을 서로 끼워 인간 벨트를 만들며 시위를 벌였다. 학생들은 너무 화가 나 거의 폭발 직전이었다.

기마 경찰들이 학생들 주위를 에워쌌다.

나는 학생들 대열 바로 앞에 서 있었다. 바로 그때 사이러스 밴스가 건물 밖으로 걸어나오고 있었다. 나는 그를 바로 앞에서 볼 수 있

ⓒ김홍희

었다. 그의 이마에서 흐르는 땀방울이 보일 정도로 가까운 거리였다. 사이러스가 바로 내 옆을 지나가는 순간 핸드 마이크를 옆 친구에게 넘겨주었다. 그를 때려 눕히겠다고 결심했던 것이다. 마침 내 앞을 가로막고 있던 경찰이 다른 데모 대열을 막느라 정신이 없어 틈이 생겼다. 이때다 싶어 뛸 듯이 달려갔다. 그리고 두 손을 모아 그를 밀치려 하는 순간…….

나는 마치 슬로 모션처럼 그 자리에 천천히 주저앉았다. 그리고 내 안에서 울리는 목소리에 깜짝 놀랐다.

'폴, 지금 뭘 하려고 하는 거야?'

모든 것이 일제히 멈춰졌다. 모든 소리도 사라졌다. 아무것도 보이지 않았고 아무것도 들리지 않았다. 잠시 후 나는 천천히 일어서 보도로 비켜 나와 앉았다.

이게 도대체 뭐야, 다들 뭐하고 있는 거야. 내가 지금 뭘 하고 있는 거지? 친구들의 얼굴이 보였다. 그들의 얼굴은 벌겋게 달아올랐으며 눈에는 살기가 등등했다. 마치 성난 동물들 같았다. 온통 분노와 욕심으로 가득 찬 얼굴들이었다. 우리는 정말 무엇을 하고 싶은 거지? 무엇을 쟁취하려 하는 거지? 이게 정말 진리의 행동 맞아?

다음 순간 내 귀에는 존 레논이 부른 〈이제 우리 평화를 이루어보자〉(Give Peace a Chance)라는 노래가 울려퍼졌다. 그 노래는 우리가 데모 때마다 부른 소위 운동권 노래였는데 멀리 데모하던 친구들이 그 노래를 부르기 시작한 것이다.

"All we are saying is, Give peace a chance." (우리 모두는 말한다. 이제 우리 평화를 이루어보자.)

나는 학생들의 합창소리를 들으며 생각에 잠겼다. 평화? 무엇이 평화라는 말인가? 이 싸움, 이 분노, 이것이 평화인가? 과연 지금 우리들의 행동이 평화를 이루어보겠다는 사람들의 행동인가? 나는 뭐하는 사람인가. 사람을 때려눕히려고 했잖은가. 잘못하면 그는 죽을 수도 있었다. 그것이 평화인가. 평화란 무엇인가. 내 안에 평화가 없는데 어떻게 다른 사람을, 이 세계를 평화롭게 하겠다는 것인가.

나는 그렇게 한참을 앉아 있었다. 그리고 잠시 후 겨우 정신을 차리고 일어나 교회로 갔다. 하느님께 간절한 참회의 기도를 올렸다. 그리고 이어서 내 마음속에 울려 퍼지는 목소리에 놀랐다.

'나는 누구인가.'

그동안 살아오면서 다른 사람을 도우며 살고 싶었다. 신부가 되겠다는 생각을 한 것도 그 때문이었다. 그러나 내가 나라는 존재를 모르는데 어떻게 나 아닌 다른 존재를 도울 수 있다는 말인가.

나는 예수님을 사랑한다고 했다. 나는 부모님을 사랑한다고 했다. 나는 내 여자친구를 사랑한다고 했다. 그런데 도대체 이 '나'라는 게 무엇인가. 내가 나에 대해서 모르는데 어떻게 나 아닌 다른 것을 사랑한다는 말인가. 나 아닌 어떤 대상에 대한 사랑과 관심 이전에 나 자신에게 먼저 관심과 사랑이 있어야 하지 않은가.

내가 사이러스 밴스를 폭력으로 때려눕히려고 했을 때 갑자기 내 안에서 울려퍼졌던 의문들, 그 밑도 끝도 없이 던져진 의문들. 그런데 그 답도 모르는 내가 외치는 평화란 도대체 무엇이지? 내가 나를 모르는 이 기막힌 아이러니의 상황.

그런 상황에서 어떻게 이 세계를 도울 수 있다는 말인가? 그건 완전히 엉터리 같은 얘기다. 때로 나는 교수가 되어서 다른 사람을 가르치고 싶다는 생각도 했었는데 내가 나를 모르는 상태에서 도대체 무엇을 그들에게 가르친다는 것인가. 장님이 어떻게 길을 모르는 사람에게 길을 가르쳐준다는 말인가.

나의 기도는 그 다음날, 그 다음날까지 계속 이어졌다. 저녁에 집으로 갔다가 수업만 듣고 교회로 달려갔다. 그리고는 예수님 앞에 엎드려 간절히 기도를 올렸다.

'저에게 빛을 주십시오.'

데모를 그만두고 만난 키르케고르

학생운동에서 손을 뗀 이후 나는 다시 책으로 돌아왔다. 그즈음 나는 대학원 강의를 하나 청강하고 있었는데 다름아닌 실존주의 철학의 아버지 키르케고르 강의였다.

담당교수였던 폴 호머 교수는 키르케고르에 관한 세계적 전문가이셨다. 이듬해 정년퇴직을 앞두고 계셨기 때문에 그 강의는 현직에서의 마지막 강의였다. 폴 교수는 키르케고르 철학을 강단에서 생생하게 재연했다. 키르케고르는 생전에 수많은 원고를 남겼는데 폴 교수는 그가 남긴 에세이는 물론 신변잡기적인 편지글까지 모두 외우고 있다시피 할 정도였다. 교수님은 키르케고르가 남긴 글을 한줄한줄 강독하시면서 그 당시 저자의 마음이 어떤 상태였는지 어떤 생각에서 이런 글을 쓰고 있었는지 아주 재미있게 설명해주었다.

"키르케고르의 일생은 외로웠다. 그는 평생을 독신으로 지낸 사람이었고 키도 작고 몸도 약했다. 그러나 유명한 독설가였고 아주 유머러스한 면도 있었다."

우리는 마치 최면에 걸린 사람처럼 폴 교수님 강의에 몰두했다. 강의는 매주 화, 목요일 저녁시간에 있었는데 나는 한 번도 결석하지 않았다.

내가 키르케고르에 관심을 갖게 된 것은 그의 독특한 교회관 때문이었다. 그가 평생을 통해 물고 늘어진 화두는 '신 앞에 인간의 존재란 무엇인가?' 하는 것이었다. 그는 신심이 두터운 기독교인이었지만 교회공동체에 비판적이었다. 보통 우리가 신앙생활을 한다고 할 때 많은 사람들은 주일마다 교회라는 건물에 가서 공동체를 형성하고 그곳에서 성경을 읽고 기도를 하면서 신을 만난다고 생각한다. 그러나 키르케고르는 그런 전통적인 교회생활에 반기를 든 것이다.

교회가 중요한 것이 아니라 내 마음속에 있는 신이 중요한 것이라는 이야기였다. 어떤 특정한 건물이나 성경을 통해 신을 만나는 것이 아니라 신 앞에 인간, 신 앞에 완전히 벌거벗겨진 존재로서의 나 자신을 생각해야 한다는 것이었다.

그의 생각은 너무 급진적이고 당시의 기준으로 봐서는 황당하고 불경하기까지 한 것이어서 많은 사람들이 그가 미쳤다고 놀려댔다. 그러나 그동안 마음속 깊이 하느님과 예수님을 믿고 따르고 있었지만 교회공동체에 실망을 많이 해온 나로서는 그의 가르침은 한 줄기 샘물 같았다.

키르케고르는 예수님을 단지 존경하고 섬겨야 할 전지전능한 성인으로 볼 것이 아니라 그의 삶으로부터 무엇을 배워 내 삶 안에 녹여내야 하는지에 관심을 가져야 한다고 했다. 어떤 공동체나 책에 의존하지 말고 내 안에서 직접 예수의 삶을 통해 진리를 찾아야 한다는 것이었다. 오직 나 혼자 신 앞에 완전히 발가벗겨졌다는 심정으로 진리를 찾아야 한다는 게 그의 주장이었다.

인간의 한계상황을 뛰어넘는 방법이 기도다. 나는 기도를 단지 말하는 것으로 생각했지만 조용한 시간을 가지면 가질수록 기도는 '들음'이라는 것을 깨닫게 된다. 절망하는 것은 죄이다. 인간이 절망해 하느님을 찾지 않을 때 죽음에 이른다. 인간이 절망할 때 비로소 하느님을 찾기에 희망이 있다. 즉 인간은 어떤 상황에서도 하느님만 찾으면 죽음에 이르지 않는다.

그의 대표적 저서인 《죽음에 이르는 병》의 한 대목이다.

폴 교수님의 강의는 이미 키르케고르에 목말라했던 나에게 단비나 마찬가지였다. 나는 돈이 생기는 대로 서점에 달려가 키르케고르 책을 샀다. 강의가 있었던 날이면 어김없이 친구들과 함께 카페나 식당에 앉아 밤새도록 키르케고르와 그가 얘기한 신, 인간, 삶, 죽음, 고통 등에 대해 얘기했다. 친구들이 지루해할 정도로 나는 떠들어댔다.

지금도 기억이 난다. 폴 교수님의 마지막 강의가 있던 날, 싱그러운 밤공기를 마시며 교정을 걸어나오면서 나는 깊은 숨을 내쉬었다. 그리고 하늘을 바라보며 이렇게 중얼거렸다.

'그래, 이제 나는 하느님 앞에 홀로 놓여진 존재다. 진리를 찾으며 사는 삶이야말로 나를 구원하리라.'

그런데 시간이 지나면서 키르케고르의 철학 중 석연치 않은 부분이 생겼다. 그의 철학을 곰곰이 따져보면 결론은 결국 '하느님'과 '믿음'으로 돌아간다는 점이었다. 신 앞에 홀로 던져진 나약한 인간이 스스로 진리를 찾아야 한다는 대목에서는 수긍이 갔지만 결국 그 진리란 신을 확실하게 믿음으로써 발견할 수 있다는 대목에서는 멈칫했다. 이미 신이 만들어놓은 현실과 실재는 있다. 우리는 그것을 믿음의 도약으로 건너야 한다는 게 그의 주장이었다.

그는 나에게 큰 영향을 끼쳤지만 언제나 돌아오는 자리는 '믿음'이었다. 그의 분석은 감동적이었지만 결국은 '믿음'을 통해 이 세계와 저 세계를 건너뛰어야 한다는 대목에서 그의 한계가 느껴졌다. 만약 그의 가르침에서 기독교적 가치를 뺀다면, 즉 신을 뺀다면 과연 그의 철학을 지탱시켜줄 수 있는 것은 무엇일까. 어떤 것일까…….

나는 신앙생활을 해오면서 교회공동체에 대한 실망도 있었지만 사실 내면적으로는 신의 차별된 사랑 앞에 당혹스러워하고 있었다. 당시 미국에서는 빈민계층에서의 에이즈 문제, 마약 문제가 아주 큰 사회적인 문제가 되어가고 있었다. 나는 예일 대학이 있는 뉴헤이븐의 슬럼에서 많은 흑인들이 어른 아이 할 것 없이 코카인이나 크랙 같은 마약을 상용하고 있는 것을 보았다. 많은 신생아들이 그런 부모 밑에서, 태어날 때부터 에이즈를 갖고 태어난다는 기사를 신문을 통해 읽으면서 경악했다. 어떤 아이들은 아예 태어날 때부터 마약에 중독돼 태어난다는 소식도 접했다. 그들은 이 세상에 태어난 그날부터 기형은 물론 천식 같은 호흡기 질환, 경기(驚氣) 같은 신경쇠약에 시달린다는 것이다.

왜 ? 도대체 왜?

신의 모든 행동은 사랑이라고 하지 않았나. 순진무구한 어린이들의 영혼을 특별히 사랑한다고 하지 않았나? 그렇다면 신께서 그 어린것들에게 베푸시는 사랑이란 과연 무엇인가? 어른들이 에이즈에 걸리고 마약에 중독되는 것은 각자 그들의 잘못이라고 돌릴 수 있지만 태어나자마자 그런 고통에 시달리는 어린아이들은 잘못을 저지를 어떤 기회도 가져보지 못한 생명들 아닌가? 그들에게는 태어난 순간부터 이 세상이 완전히 지옥일 것이다. 고통 그 자체일 것이다. 언제나 병을 안고 살아야 하기 때문에 오히려 죽는 것만이 그들에게 유일한 선물이며 약일 것이다.

이에 비해 나는 어떤가. 좋은 부모 형제, 훌륭한 육체와 지적 능력을 받아 행복하게 태어나지 않았는가. 왜? 무엇이 그들보다 낫기 때문인가? 왜 신은 나만을 특별히 사랑하신 것일까?

지혜의 전당 예일에서 나는 열심히 진리를 찾는답시고 살고 있는데 바로 옆에서는 저렇게 비참한 삶을 하루하루 연명하는 사람들이 살고 있다는 말인가. 나는 누구이고 그들은 누구인가? 무엇이 다른가?

성경에 따르면 지금 이생은 중요하지 않고 천국에서의 다음 삶이 중요하다고 한다. 다음 생에서의 삶이 천국이 될지 안 될지, 즉 지옥에 갈지 천국에 갈지 하는 것은 이생의 행동에 의해 결정되며 이생에서의 삶은 영생을 위한 일종의 테스트 같은 것이다.

하지만 날 때부터 고통을 받고 태어난 아이들에게는 기회가 없다. 착한 행동을 해서 천국으로 갈 수 있는 기회를 처음부터 박탈당하는 것이다. 뉴헤이븐의 슬럼가에서 나는 흑인 어린이들을 많이 만났다. 그들은 다 쓰러져가는 빌딩에서 쥐들이 왔다갔다하는 그런 집에서 산다. 그들의 삶은 단지 하루하루 연명하기 위한 투쟁으로 가득 찬 삶이다. 그들 중 다수가 결국 범죄의 유혹에 빠져 감옥에 가게 된다. 남아프리카의 수많은 흑인들도 마찬가지다. 나는 영생을 살 기회를 가졌지만 그들은 그 기회조차 없다. 단지 선택된 이들에게만 기회가 와서 가질 수 있는 영생이란 논리적으로 맞지 않는다.

이처럼 마음속에 신의 존재, 인간의 존재에 대한 근원적 의문을 갖고 있었던 터에 키르케고르가 제시한 '믿음'이라는 답은 마뜩지 않았다. 마치 내가 아주 어려운 시험문제를 갖고 끙끙거리고 있는데 그 문제의 답이 오직 '신'이라는 하나의 답밖에 없는 그런 상황이었다.

전생을 노래한 시인들

그 당시 나는 철학과 함께 문학에도 재미를 붙이고 있었다. 내가 심취했었던 사람들은 영국의 낭만주의 시의 제왕 격인 윌리엄 워즈워스를 비롯하여 셸리, 키츠, 콜리지 같은 낭만주의 시인들이었다. 이 세계와 인간에 대해 자유로운 상상력의 나래를 편 그들의 시들을 읽으면서 나는 그 자유로운 표현들에 사로잡혔다.

그런데 신기한 것은 그들 모두 '전생'을 이야기한다는 점이었다. 그들은 자기 자신의 전생에 대한 어떤 아이디어를 갖고 있었고 그것들을 시에서 표현했다. 아주 오래 전부터 그들의 기억에 남아 있는 것들, 처음 가보는 거리, 처음 맛보는 음식에 대해 느끼는 낯익음…… 이런 것들은 과연 무엇일까 하는 호기심을 시로 표현하고 있었다. 나는 그들의 시를 통해 '전생'이라는 개념을 만나면서 환호성을 내질렀다. 아, 이런 느낌을 나만 갖고 있었던 것이 아니었구나 하는 동질감 같은 것 때문이었다.

사실 나는 어렸을 때부터 내가 1964년에 태어난 것이 아니라 그보다 훨씬 이전부터 나의 생이 있었으리라는 막연한 느낌을 갖고 있었다. 전생이라는 용어를 배우기 이전부터 나의 삶은 이번 한 번뿐이 아니고 1964년 내가 세상에 태어나기 이전부터 계속되어 왔을 것이라는 본능적인 느낌이 자연스럽게 일었다.

열두 살 때였던가, 동생 그레고리와 야구를 하다 집에 돌아가면서 이런 질문을 툭 던진 적이 있었다.

"나는 내가 태어나기 아주 오래 전부터 이 세상에 살아왔다는 느낌이 들어. 너는 그렇지 않니?"

그때 동생은 마치 별 이상한 이야기를 한다는 듯 꿈벅꿈벅 눈동자만 굴렸다.

아마 이 글을 읽는 분들 중에도 이런 느낌을 가져본 적이 있을 것이다. 가끔 어떤 광경, 어떤 냄새와 처음 마주칠 때 뭔가 오래 전부터 내 머릿속에 있던 것이 툭 튀어나오는 듯한 낯익음 말이다. 그건 사람과의 관계에서도 마찬가지다. 어떤 사람을 만났을 때 단지 첫번째 만남이었는데도 아주 오래 전에 만났던 사람 같다는 느낌을 받은 사람이 있을 것이다. 그로부터 받은 강렬한 첫인상이 잊혀지지 않는다든지 많이 만나지도 않았는데 그 사람이 어떤 사람일 것 같다는 지레짐작이 드는 것 말이다.

따지고 보면 어렸을 때부터 막연히 신부가 되고 싶다는 생각도 마찬가지였다. 내 마음속에 든 생각은 신부님이 되어서 무엇무엇을 해야지 하는 계획이 아니라 왠지 그렇게 살아야 할 것 같다는 자연스러운 의무감이었다. 마치 어떤 운명, 내가 앞으로 당연히 걸어가야 할 길이라고 생각했다. 여덟 살 때였던 것으로 기억한다. 친구집에서 레슬링을 하면서 놀다 완전히 땀에 젖었다. 샤워를 마치고 친구가 가져다준 주스를 마시면서 소파에 앉았다. 문득 옆 커피 테이블 위에 놓인 사진집 한 권에 눈이 가 무심코 그것을 집어들었다. 그것은 중세 유럽의 수도원들을 찍은 사진집이었다. 나는 아무 생각 없이 한장 한장 넘기다 갑자기 어떤 사진 앞에서 숨이 막힐 듯 깜짝 놀랐다. (영어로 표현한다면 'My stomach went into my throat,' 즉 위장이 목구멍을 통해 튀어나올 것 같은 경험이라고나 할까.)

그 사진은 한 수도원 앞에 앉아 있는 수도사 한 사람을 클로즈업한 사진이었다. 정갈한 예복을 입은 수도사는 수도원 앞에 앉아 성경을 읽고 있었는데 그 모습이 어찌나 순수하고 영적이었던지 나는 그만 전율하고 말았다. 가슴이 쿵쿵거리기 시작했다. 오래 전부터 기다려온 뭔가를 발견한 듯했다. 두근거리는 심정으로 사진을 넘겼다. 다음 장면들은 높은 산에서 수도사들이 농사를 짓는다든지, 뭔가 열심히 토론한다든지 하는 그들의 생활을 찍은 사진들이었다.

파란 하늘 아래 연한 갈색 옷을 입은 그들의 맑은 얼굴. 그것은 훗날 내가 신부나 수도사로 살고 싶다고 생각할 때마다 떠올리는 이미지들이 되었다. 그후부터 나는 성당의 신부나 수도사와 관련된 사진을 볼 때마다 같은 느낌에 사로잡혔다. 그리고 본능적으로 전생에 대한 생각을 하게 되었다. 어떻게 경험하지도 않은 일을 이렇게 낯익게 느낄 수 있을까.

부모님으로부터 배운 종교적 가르침에서는 전생에 대한 언급이 한번도 없었다. 오직 이생과 천국에서의 영생만이 있을 뿐이었다. 나는 열두 살 때 동생과의 대화말고는 아무에게도 전생에 대한 얘기를 하지 않았다. 마음속으로 그저 나 혼자만의 비밀, 쓸데없는 생각

정도로 치부하고 있었다. 그런데 대학에 들어와 셸리, 워즈워스, 키츠, 휘트먼 같은 세계적 시인들을 만나면서 그런 생각을 확신받았으니 그때 나의 기쁨을 무엇으로 설명할 수 있으랴.

외우다시피 한 쇼펜하우어

키르케고르와의 만남, 낭만파 시인들과의 만남에 흠뻑 취하고 있었던 나에게 드디어 내 인생을 바꿀 철학자 한 사람이 나타났다. 그는 다름아닌 쇼펜하우어였다.

쇼펜하우어와의 만남 역시 책에서 시작됐다. 그즈음 나의 룸메이트였던 대학 선배 한 사람이 마침 키르케고르 강의를 같이 듣고 있었다. 그 선배는 어느 날 나에게 쇼펜하우어의 《살려는 의지》(The Will to Live)라는 책을 권하면서 이렇게 말했다.

"내 삶에서 없어서는 안 되는 세 가지가 있는데 마리화나와 여자친구와 쇼펜하우어다."

그렇게 만난 쇼펜하우어. 아! 그와의 만남을 어떻게 설명해야 할까. 나는 그의 책을 거의 외우다시피 읽었다.

한 문장 한 문장 버릴 것이 없었다. 그동안 내가 생각했던 모든 방황과 고민들에 대한 해답이 거기 모두 담겨 있었다. 그의 단어며 문장 하나하나가 나의 폐부 깊숙이 들어와 박히면서 이것저것 잡다하고 산만했던 생각들이 정돈되었다. 삶과 죽음을 넘나들며 펼치는 그의 사유는 진리에 대한 탐구로 목말라했던 나를 갈기갈기 해체시켰다.

쇼펜하우어는 흔히 비관주의자로 알려져 있지만 그는 사실 비관론자도 낙관론자도 아닌 현실주의자(realist)라는 게 나의 결론이다. 그는 내가 여태껏 접한 철학자들 중 가장 위대한 사람이다. 한국에 그가 잘 알려져 있지 않은 것은 유감이다. 최근에 나는 서울의 대형 서점에 가서 한국에 나온 쇼펜하우어 관련 저작물을 찾아보려고 했지만 쇼펜하우어 칸도 제대로 없었거니와 번역책도 많지 않았다.

쇼펜하우어는 '인간은 형이상학적 동물'이라고 했다. 그것은 인간만이 우리 자신의 존재에 대해 방황하는 유일한 동물이라는 이야기다. 그러고 나서 그는 인간이 자기 존재를 깨달아가는 데는 두 가지 유형이 있다고 했다. 첫번째 부류는 자기 존재의 증거를 안에서 찾는 사람들이고 두번째 부류는 바깥 세계에서 찾는 사람들이라는 것이다.

나로 하여금 십 년 묵은 체증이 풀리는 듯한 시원함을 주었던 그의 말을 직접 옮겨보자.

> 문명화된 국가에서 이 세상 존재의 증거를 찾는 형이상학적 방법으로 두 가지가 있다. 하나는 존재의 증거를 안에서 찾는 것이고 또 다른 하나는 밖에서 찾는 것이다. 형이상학적 논리 그 자체에서 존재의 증거를 찾는 체계는 문화나 전통을 성찰함으로써 수립되며 아주 소수의 사람들만이 접근 가능하다. 그 소수의 사람들은 선진화

된 문명 속에서 그들의 존재를 유지하고 성숙시켜나간다.

한편 두번째 종류의 형이상학적 체계는 사고능력이 부족한 대다수 사람들이 수용하여 유지하는 것으로서 그들은 원인과 논리를 자신이 직접 생각해보려 하지 않고 단지 바깥에 어떤 것에 대한 권위에 의존하여 믿는다. 이것은 흔히 우리가 종교라고 부르며 많은 국가와 원시부족 안에서도 발견할 수 있다. 이것을 믿는 사람들의 신념의 근거는 자신의 성찰 속에서 형성하는 것이 아니라 그들의 외부에서 주어지고 있다. 기적이나 어떤 상징 같은 권위 있는 것들, 계시라고 불리는 것들이 그것이다. 이 형이상학에는 주로 외부의 위협이 존재하게 되고 그 형이상학 체계를 따르지 않는 불신자들과 단순한 회의론자들마저도 적대적인 존재가 된다.

나는 이 문장을 읽을 때마다 느끼는 내 감정을 제대로 설명할 수 없다. 그로 인해 내 마음이 얼마나 열렸는지 설명할 수 없다. 마치 큰 짐을 내 어깨에서 내려놓는 듯한 가벼움이라고 할까. 쇼펜하우어를 만나기 전까지, 그리고 이 문장을 만나기 전까지 나는 내 어깨에 그렇게 무거운 짐이 올려져 있는지조차 몰랐다.

나는 자유로움을 느꼈다. 순간 진리의 길로 접어들었다는 희열을 느꼈다. 그리고 정말 행복했다. 나는 깨달았다. 내가 가졌던 모든 회의와 고통의 끝을 본 것이다.

내가 진리에 대한 갈망으로 가득 차 있을 때 내 주변의 사람들은 언제나 우리 바깥에 있는 어떤 힘을 가리켰다. 그러나 그 힘이 정작 무엇이냐고 물었을 때는 제대로 설명하지 못하는 것 같았다. 그런데 그제야 나는 깨닫기 시작한 것이다. 아마 그들이 가리키는 이 힘이란 것이 없는 것일 수도 있다는 것을…….

쇼펜하우어는 나에게 또 진리와 종교의 차이에 대해 깨닫게 했다. 그는 종교와 진리가 다른 것이라고 말한, 내가 만난 유일한 사람이었다. 이를테면 종교가 절대자에 대한 두려움을 통해 어떤 집단에서 통용되는 신념이자 상식이라면 진리란 그것보다 훨씬 큰 것이라는 거다. 나 역시 어렴풋하게 그런 생각을 갖고 살았는데 비로소 나와 같은 생각을 한 사람을 찾은 것이다. 쇼펜하우어는 여기서 한발 더 나아가 종교란 어쩌면 진리를 발견하는 데 장애가 될 수 있다고까지 얘기했다. 진리를 발견하기 위해서는 오히려 종교를 한쪽에 치워둬야 한다고 말했다.

나는 그 대목에서 완전히 넋이 나갔다. 오직 한 가지 틀 안에서만 문제를 풀려고 했던 나에게 완전히 다른 세계로 가는 열쇠를 제공한 것이다. 아니, 좀더 솔직히 말하면 나는 지금까지 살아오면서 그런 말을 해줄 누군가를 기다리고 있었던 것이다. 그 사람이 바로 쇼펜하우어였다.

> 종교는 필요한 것이고 유익하다. 그러나 만일 인류가 진리를 발견해 역사를 발전시키는 데 장애물이 된다면 종교 자체를 파기시켜야 할지도 모른다. 일반적으로 인간사회에서 종교라는 것은 해당 종교가 지니고 있는 직접적인 진리에 의해 평가된다기보다 간접적으로 인간을 이해시키는 능력과 관련해, 즉 얼마나 많은 사람들이 단지 '믿고 있느냐' 하는 데 따라서 평가된다.

쇼펜하우어의 글을 읽으며 나는 몇 번이고 뛰는 가슴을 진정시켜야 했다. 그건 마치 오랜 수형생활을 마치고 감옥에서 나와 눈이 부시는 햇살을 만났을 때의 기분이었다.

물론 나는 그때까지도 내 마음속 깊이 예수님과 하느님에 대한 생각을 저버리지 않았다. 그러나 키르케고르와 쇼펜하우어를 통해 비로소 예수님과 교회를 분리해서 생각하기 시작했다. 그리고 종교라는 틀보다는 진리라는 보다 큰 틀에서 생각하기로 했다. 이것은 나에게 또 하나의 큰 지평을 열어주었다. 예수님은 진리를 깨달은 사람이다. 위대한 도인이었던 것이다. 키르케고르와 쇼펜하우어를 통해 나는 점점 더 진리에 대한 관심으로 영역을 넓혀갔다.

그리고 나는 어쩌면 '종교적 사고방식'이 진리를 깨닫는 데 장애가 될 수도 있다는 생각을 하기까지 이르렀다. 지난 역사에서 종교가 '사랑'이라는 이름을 내걸고 그토록 많은 사람들을 고통에 빠뜨린 그 이유를 조금은 알 것 같았다. 대부분 전쟁이란 것도 종교분쟁에서 시작된 것이 많지 않은가. 그리고 이것은 사회주의나 공산주의 등 모든 '이즘'(ism)이 해체된 요즘 현대사회에서 더 기승을 부리고 있지 않은가. 가깝게는 코소보 사태, 인도 파키스탄 분쟁 등 CNN만 틀어보면 그 사례는 널려 있다.

쇼펜하우어는 내가 진리와 종교를 일단 떼어놓고 사고하게 만든 사람이다. 내가 그동안 수녀님, 신부님 그리고 교수님들을 만나 진리와 이 세계 그리고 삶과 죽음에 대해 물었을 때마다 그들은 오직 자기가 믿고 있는 종교를 방어하는 대답만을 했지, 진리를 발견하는 데 대한 관심은 없었다. 그리하여 한때 나는 그런 의심을 품는 내가 바보이고 지나치게 분석적이라는 생각에 나 자신을 미워하기도 했다. 그런데 비로소 쇼펜하우어가 나를 자유롭게 해준 것이었다.

나는 여기서 놀라운 사실 하나를 고백해야 한다. 그것은 바로 쇼펜하우어를 통해 불교를 접하게 되었다는 사실이다. 쇼펜하우어는 불교에 대해 아주 깊은 존경심을 갖고 있었다. 당시 나는 불교나 부처님의 가르침에 대해서는 전혀 모르고 있었다. 아니, 어렸을 때부터 카톨릭 가정에서 자랐기 때문에 불교에 대해 애써 외면하려고 했다. 불교란 단지 그저 미신이나 사교의 하나이며 어쩌면 가장 배척해야 할 종교라고까지 생각하고 있었다.

그러나 놀랍게도 쇼펜하우어는 불교의 가르침에 대해 아주 깊은 찬사를 보내고 있었다. 쇼펜하우어는 모든 것에 대해 비판적인 사람이었다. 그런 그가 불교에 대해서만큼은 깊은 동조를 하고 있다니 놀라운 일이었다. 그는 정말 자주, 강하게, 깊이 이른바 불교라는 것에 대해 찬사를 보내며 불교가 이 세상에서 가장 위대한 가르침이라고 했다.

그의 말을 직접 인용해보자.

> 만약 내 철학을 진리의 기준으로 삼는다면 나는 이 세상에서 가장 위대한 가르침인 불교에 그 공을 돌려야 한다. …… 나는 내 생각을 불교에서 발견할 수 있었다는 점에서 대단히 만족한다. 나는 결코 불교를 공부한 적도 없었고 불경을 읽은 적도 없지만 불교에서 내 철학을 발견했다는 점에 대단히 만족한다.*

* 그의 주작인 《The World as Will and Idea》가 나온 1818년까지만 해도 불교가 서양에 전래되지 않았던 데다 유럽에도 알려지지 않았다. 그러나 그는 그후 26년이 지난 1844년 《The World as Will and Idea》 제2판에 이렇게 적고 있다. 그동안 불교를 접하면서 자신의 생각이 불교에 닿아 있음을 깨닫고 아주 자랑스러워했다는 대목이다.

그는 불교신자도 아니었고 불교를 통해 철학적 기초를 세운 것도 아니었다. 그런 그가 불교를 접했을 때 아주 행복했고 자신의 생각을 불교에서 증명할 수 있었음에 대해 대단히 기뻐하고 있는 것이다.

얼마 후 나는 쇼펜하우어의 자서전을 읽으면서 더욱 놀랐다. 말년에 자기 책상 위에 불상을 모셔놓고 있었다는 것이었다. 나는 비로소 그를 통해 불교에 대해 관심을 갖기 시작했다. 나중에 알게 된 사실이지만 쇼펜하우어뿐 아니라 니체를 비롯한 미국의 위대한 철학자 랠프 월도 에머슨과 헨리 데이비드 소로 모두 불교에 대해 경외감을 갖고 있었다.

그러던 나는 1987년 예일 대학을 졸업하면서 난생 처음 불교책 한 권을 접하게 된다.

어느 날 개신교 목사인 한 친구가 나에게 책을 한 권 주었다. 그것은 스즈키 로쉬(Shunryu Suzuki Roshi)의 《선의 마음, 초발심》(Zen Mind, Beginner's Mind)이라는 일본 불교책이었다. 아주 작고 두께도 얇은 책이었는데 불교책으로서는 미국에서 베스트셀러였던 책이었다. 스즈키 로쉬는 일본 불교 선사의 한 사람으로 미국에서 아주 유명한 사람이었다. 그는 캘리포니아에 큰 절을 짓고 20여 년 동안 가르침을 폈는데 미국의 유명한 시인, 철학자, 지식인들, 히피들, 영화배우들이 그의 제자들이었다.

나는 그 책을 읽고 큰 감동을 받았다.

'진리란 우리 안에 있다. 우리는 오직 참선과 수행을 통해 그것을 발견할 수 있다'는 게 그의 가르침의 요지였다. 쇼펜하우어를 통해 진리란 바깥 세계에 있는 것이 아니라 내 자신 안에서 증거할 수도 있다는 가능성을 어렴풋이 열어놓은 상태에서 스즈키 로쉬의 언명은 나에게 마지막 확신을 가져다준 셈이었다.

그 책을 읽고 나서 나는 생애 처음으로 자취방에서 참선이라는 것을 시도해보았다. 스즈키 로쉬가 책에 소개한 대로 해본 것이었다. 큰 타월을 감아 엉덩이 아래에 깔고 다리를 꼬고 앉아(너무 힘들었다) 두 손을 모아 배 앞에 갖다 놓았다. 나는 그때 처음 내 머릿속에 왔다갔다하는 생각을 들여다보면서 아주 신비한 경험을 한 듯했다. 아무것도 하지 않고 앉아 있는데 내 머릿속에 이렇게 많은 생각이 오가다니. 나는 다리의 고통 때문에 매일 길면 10여 분, 짧으면 5분 정도밖에 하지 못했지만 매일매일 하려고 노력했다. 참선이란 하면 할수록 귀한 경험임을 깨닫게 된 것이다.

고뇌의 밤들

친구들은 졸업을 하고 대학원에 간다, 취직을 한다 정신이 없었지만 나는 공부를 더 할 생각이었다. 우선 쇼펜하우어를 더 공부하고 싶었다. 그러기 위해서는 먼저 독일어를 배워야 했다. 나는 졸업식을 마친 후 내 가장 친한 친구 스티브와 함께 독일로 가는 비행기에 몸을 실었다.

나는 스위스 국경과 가까운 블랙 포리스트 프라이부르크에 있는 프라이부르크 대학 어학연수원에 등록해 독일어를 배웠다. 중세의 아름다움을 그대로 간직한 프라이부르크는 독일에서도 유명한 교육 도시인데 철학자 하이데거가 살면서 그의 가르침을 편 곳이기도 하다.

나는 하루 종일 학교에서 독일인 친구들과 함께 온갖 철학적 이슈들을 놓고 논쟁을 벌였다. 그러나 밤에 자취방으로 돌아올 때면 뭔가 손에서 빠져나간 듯한 허무감이 들었다. 비록 그렇게 많은 시간을 진지하게 삶과 죽음이라는 거대한 주제를 놓고 열띤 논쟁을 벌였건만 가슴에는 허무감이 밀려왔다.

그러던 나는 그곳에서 다시 '불교'를 만났다. 철학과 학생 옌츠라는 친구와 아주 친해졌는데, 그는 그 대학 불교동아리 회장이었다. 프라이부르크 대학은 독일의 명문학교다. 그런데 그 학교의 학생들은 불교에 대해 많은 관심을 가지고 있었고 불교의 가르침을 배우기 위해 일본이나 태국으로 여행을 떠나기도 했다. 일부는 일본, 태국, 스리랑카 등지의 절에서 생활하기도 했다.

옌츠는 그들의 리더 격이었다. 나는 친구들과 함께 옌츠의 아파트에 자주 놀러 갔었는데 옌츠의 방에는 큰 그림이 하나 걸려 있었다. 석가모니 부처가 가부좌를 틀고 앉아 명상에 잠긴 모습이었는데 벽 하나를 가득 채우고 있을 정도로 아주 큰 것이었다. 옌츠는 얘기를 할 때나 차를 마실 때나 항상 그 사진 앞에 자리를 잡고 앉았다. 우리는 그 자리를 '옌츠의 자리'라고 불렀다. 그의 자리에는 항상 넓고 큰 방석이 있었다. '그게 뭐냐'고 묻자 그는 '참선할 때 앉는 방석'이라고 말했다. 그는 나에게 참선의 경험을 들려주기도 했다.

옌츠는 불상 사진 앞에 항상 향을 피워 놓았다. 그는 불교의 가르침에 깊이 심취해 있었는데 한때 스리랑카의 절에서 생활하기도 했고 티벳과 스리랑카의 승려들을 동아리 세미나에 초청해 강연을 듣기도 했다. 그의 왼쪽 팔에는 인도에서 산 듯한 염주가 항상 끼워져 있었다.

옌츠의 아버지는 종교개혁을 주창했던 루터교의 목사이자 그 대학 교수였다. 그러나 그의 아버지는 그런 아들의 행동에 대해 한번도 꾸짖지 않았다. 게다가 아버지와 아주 사이가 좋아 나의 부러움을 샀다.

나는 옌츠를 통해 불교에 대해 점점 관심을 갖기 시작했다. 그가 속해 있는 불교동아리는 그 대학에서 머리가 좋고 진지한 생각을 하는 친구들의 모임이었다. 다들 공부도 잘했고 삶의 문제에 대해 치열하게 고민했다. 나는 옌츠의 권유로 대학 구내서점에 가서 참선에 관한 독일책을 샀는데 신기하게도 그것은 카톨릭 신부님이 쓰신 책이었다. 신선한 충격이었다. 하이델베르크 대학 교수이기도 한 저자는 자신의 경험에 따르면 예수님의 가르침을 더 잘 이해하는 데 참선수행으로부터 많은 도움을 받았다고 소개했다. 그는 카톨릭 신부님이면서도 부처님의 가르침이 예수님의 가르침에 버금가는 위대한 것이라고 말했다.

'도대체 불교라는 게 무엇이길래 저들이 저렇게 심취해 있나. 신부님까지도 부처님의 가르침과 참선수행을 추천하다니…….'

차츰차츰 진리에 다가가고 있다는 확신은 들었지만 갈수록 안개 속을 걷고 있는 듯한 아득함을 느꼈던 시절이었다. 그 안개가 걷히기까지는 많은 시간이 필요했다.

1년간의 독일 생활을 끝내고 파리로 갔다. 마침 대학 친구들 몇몇이 파리에 아파트를 빌려놓았으니 놀러 오라고 초청한 것이다. 나는 파리에서 영어와 독일어를 가르치며 1년여를 보냈다. 그곳에서 음악방송 DJ에서부터 모델, 대학생, 지식인 등 많은 사람들을 만났는데 재미있었던 것은 그들 중 많은 사람들이 참선과 요가에 심취하고 있었다는 점이었다.

그러나 무엇보다 나의 파리 생활이 값졌던 것은 그곳에서 철학자 에머슨을 만난 것이었다. 어느 날, 친구의 아파트에 놀러갔다가 에머슨 수상집을 발견하곤 집어들었다.

위대한 철학자 에머슨은 미국의 초월주의(Transcendentalism) 철학 운동의 주창자였다. 에머슨은 원래 보스턴의 유명한 교회 목사였다. 보스턴의 좋은 집안에서 태어나 하버드 대학을 졸업한 뒤 미국 내에서 가장 영향력 있는 철학자가 되었다. 또 뛰어난 수필가이기도 했다. 대학교에서 나는 에머슨을 접하긴 했지만 그때는 그의 가르침이 귀에 잘 들어오지 않았다. 그런데 파리에서 그를 만났을 때는 그가 새롭게 보였다. 에머슨이 차츰 명성을 얻기 시작할 무렵 하버드 신학대학원에 초청돼 축사를 하게 되었다. 그가 그날 한 연설은 나중에 '신학대학원 축사'(Divinity School Address)라는 고유명사로까지 명명될 정도로 유명해졌다. 그는 이렇게 말했다.

> 예수님은 신이 아니다. 단지 우리 인간들이 그를 신으로 만들었을 뿐이다. 예수님은 바로 우리 자신 각자가 갖고 있는 본성, 진리, 지혜다. 인간들이 예수를 신으로 만들어, 즉 우리 자신과 멀리 떨어져 있는 어떤 대상으로 만들어 존경하고 숭배하는 것은 우리의 실수다. 예수님은 이 세상에서 가장 위대한 분이지만, 그는 단지 인간이다. 나와 여러분들처럼, 우리와 똑같은 인간이다.

그것은 당시 교단에 아주 큰 충격을 주었다. 에머슨은 그날 연설 이후로 하버드 신학대학원에 출입이 금지되었을 정도였다. 그러나 그 이후 에머슨의 명성은 더욱 높아져 세계적으로 특히 유럽에 큰 영향력을 행사하는 철학자가 되었다. 그는 미국과 유럽의 지식인 사회에 경종을 울리고 초월주의 운동을 이끄는 주창자가 되었다. 그는

1800년대에 미국과 유럽 사회에 아주 큰 영향을 끼친 사람으로, 미국 철학의 기초자라고 할 수 있다. 결국 에머슨은 생애 말엽 하버드에서 가장 존경받는 철학자의 한 사람이 되었고 하버드 철학관 홀은 '에머슨 홀'로 명명되기에 이른다.

에머슨은 '진리란 우리 안에 있다'는 것을 강조했다. 모든 사람이 자기 속에 진리를 갖고 있다고 말했다. 바깥에 있는 어떤 것이 아닌 내 안에 있다는 것이었다. 새소리, 물소리, 바람소리, 그림자…… 이 모든 것 안에서 하느님이라는 실체를 발견할 수 있다고 말했다. 이것이 그의 초월주의의 기초다.

나는 출가한 오늘날까지도 쇼펜하우어와 에머슨을 탐독한다. 나중에 알았는데 에머슨이 가장 존경하는 철학자도 쇼펜하우어였다고 한다. 나는 그 이야기를 읽으며 무릎을 쳤다.

"진정한 사랑, 진정한 철학, 진정한 제도, 진리는 바로 마음속에서 발견할 수 있다."

파리에서 에머슨의 책을 읽으며 나는 감동을 받았다. 에머슨은 미국인의 목소리로 참다운 사상을 얘기한, 내가 만난 첫 미국인이었다. 나는 학원, 지하철, 버스, 카페 등 어디 가든 그의 책을 끼고 다녔다. 쇼펜하우어 이후 더이상 높은 경지를 발견할 수 없다고 믿었는데 나는 드디어 미국인의 목소리를 통해 그것을 찾은 것이다. 그건 너무나 감동적이고 충격적인 사건이었다.

그러던 어느 날 나는 더욱 나를 놀라게 한 에머슨의 유명한 에세이를 읽게 되었는데 다름아닌 〈초월주의란 무엇인가〉였다. 그는 초월주의란 "다름아닌 자기 자신을 발견해 믿는 것"이라고 말했다. 그리고 모든 순간에 모든 경험에서 진리를 발견해야 한다면서 그는 다음과 같이 말하는 것이 아닌가!

"예를 들면 불교신자들이 초월주의자들이라고 할 수 있다."

나는 그 문장을 읽는 순간 너무 놀라 의자에서 나자빠질 뻔했다.

다시, 또다시, 이 불교라는 말과 마주쳤다. 도대체 이 불교라는 게 뭐야? 아니 에머슨조차도 불교에 대해 이렇게 말하다니…….

그 당시까지만 해도 나는 수도사나 신부가 되겠다는 어릴 적부터 항상 갖고 있었던 열망을 버리지 않고 있었다. 그래서 파리에 있을 때 아주 유명한 여러 카톨릭 수도원에 편지를 보내기도 했다. 나를 받아들여 달라고 불어로 장문의 편지를 썼다. 그들은 흔쾌히 오라고 했다. 그리고 특별 수련 시간표도 보내줬다. 그러나 정작 그들로부터 답장을 받았을 때는 선뜻 내키지가 않았다. 과연 수도사들의 수련에 참여한다 해도 무엇을 할 것인가. 하루 종일 예배와 기도, 그게 전부이지 않을까?

그 동안에도 나는 계속 성경을 읽었다. 그러나 점점 그 복음의 의미를 바꿔가기 시작했다. 더이상 신에게 진리를 찾아달라고 기도할 수 없었다. 예수님에게 더이상 지혜를 가져다 달라고 할 수 없었다. 그러다 보니 예배나 기도 같은 종교적인 활동도 잘할 수 없게 되었다. 그것들은 나에게 도움이 안 된다는 생각이 들었다. 나는 여전히 예수님의 삶과 가르침에 대한 무한한 존경심을 갖고 있었지만 쇼펜하우어, 에머슨, 키르케고르는 나에게 예수님의 진리를 내 속에서 찾으라고 재촉하고 있었다. 결국, 나는 수많은 번뇌의 밤을 보낸 끝에 수도사행을 포기했다.

흑인 거지, 관세음보살을 만나다

1989년 봄, 파리에서 다시 미국으로 돌아왔다. 이미 하버드 대학원 입학 허가서를 받아놓은 상태였기 때문에 준비도 해야 했고 무엇보다 학비를 벌어야 했다.

나는 뉴욕에 자리를 잡았다. 다행히 예일 대학이라는 졸업장 때문에 좋은 직장에 쉽게 취직을 할 수 있었다. 월스트리트에 있는 법률사무소에서 일을 시작했다. 대학을 졸업한 이상 부모님에게 더이상 손을 벌릴 수 없었고 대학원 학비를 벌어야 했기 때문이다. 처음 하는 직장 생활은 힘들었지만 그런대로 재미있었다. 뉴욕 생활도 매력적이었다. 그러나 내 마음의 근본적 방황은 해결되지 않았다. 밤이 되면 허무감을 견딜 수 없어 매일 밤 술을 마셨다.

당시 나는 불교를 오로지 책을 통해서만 접했다. 그 당시 불교는 내게 지식에 불과했던 것이다. 개념적으로는, 머릿속으로는 불교가 무엇인지 이해하게 되었지만 실질적으로 내 삶을 변화시키기에는 역부족이었다.

겉으로 보여지는 내 삶은 그럴듯했다. 미국의 내로라 하는 할리우드 스타들과 대기업 경영진이 주고객인 법률사무소에서 돈도 꽤나 많이 벌었고 친구들도 많이 사귀었다. 그러나 나는 행복하지 않았고 마음속으로는 고민이 쌓여갔다. 견딜 수 없을 때는 성당으로 달려갔다. 무릎을 꿇고 몇 시간 동안이나 간절한 기도를 올렸다.

'주여, 제가 가야 할 길을 일러주십시오.'

기도를 마치고 나오는 길은 잠시 마음의 평화를 얻을 수 있었지만 이내 마찬가지였다. 너무 고통스러웠다. 더이상 아무것에서도 의미를 찾을 수 없었다. 심지어는 간절히 기도를 올리면서도 마음속으로는 '쓸데없는 짓'이라는 생각을 하고 있었다. 그러니 기도가 제대로 될 리 없었다. 그러한 사실이 나를 더욱더 절망에 빠지게 했다. 나를 지탱해줄 수 있는 것은 아무것도 없어 보였다.

매일 밤 나는 집에 가서 일기를 썼다. 밤을 새워 대학노트에 몇 페이지씩 끄적거렸다.

"나는 누구인가. 나를 내 맘대로 하지 못하겠다. 신에게 기도하는 것은 더이상 쓸모없는 일이다. 니체는 신은 죽었다고 하지 않았나. 에머슨, 쇼펜하우어 모두, 신은 우리가 만든 것이며 우리 마음이 신을 만들었다고 하지 않았나. 신이 없다면 나는 누구인가. 어떤 존재인가. 데카르트는 '나는 생각한다. 고로 나는 존재한다'고 했다. 그러면 도대체 이 '나'라는 것은 무엇인가."

길을 걸으면서도 밥을 먹으면서도 사람을 만나면서도 잠을 자면서도 내 머릿속에는 온통 이 생각뿐이었다. 그동안 내가 받았던 모든 교육, 내가 했던 모든 경험들이 바야흐로 한 가지 생각에 모였다.

'나는 누구인가…… 나는…… 누구…… 인가. 누구인가.'

절망의 바닥을 걷고 있던 어느 날, 나는 아주 귀한 경험을 하게 된다. 돌이켜 생각하면 할수록 그날은 내 인생에서 몇 안 되는 중요한 날이다.

평소 사무실에서 친하게 지내던 변호사 돈이 나를 파티에 초대했다. 자기 친구들이 나를 보고 싶어한다며 일이 끝나면 함께 가자고 했다. 그와 나는 무척 친하게 지냈는데 아마 자기 친구들에게 내 얘기를 많이 한 듯했다. 우리는 그날 일을 마치고 파티가 열리는 카페로 가기 전에 몇몇 친구들과 먼저 만나 포켓볼을 쳤다. 나는 포켓볼 치는 것을 아주 좋아했다. 게임이 끝나고 우리는 테이블로 옮겨 술을 마셨다. 내 주위 모든 사람들은 아주 즐거운 표정들이었다. 나 역시 겉으로는 즐거운 척했지만 마음속은 허전하고 외로웠고 절망적이었다. 옆에 앉아 있던 돈이 내 표정을 읽었는지 걱정스럽게 물었다.

"무슨 안 좋은 일이 있는 거야? 힘내."

잠시 후 우리는 파티가 열리는 뉴욕 시내의 아주 유명한 술집으로 옮겼다. 택시를 타고 가는 사이에도 내 맘은 너무 허전했다. 창밖으로 연인인 듯한 남녀가 팔짱을 끼고 세상에서 가장 행복한 표정으로 지나가고 있었지만 내 눈에는 그들의 얼굴이 고통으로 일그러진 것처럼 보였다. 아주 무서운 악몽을 꾸고 있는 것 같았다. 사는 것이 아무 의미가 없었고 모든 것이 헛되었다.

보고 먹고 즐길 거리가 많은 뉴욕의 한복판에서 하버드, 프린스턴, 버클리 등 명문대학을 나온 돈 많은 수재들과 함께 거의 매일 밤을 이렇게 놀고 마시지만 삶이란 그런 게 전부가 아닌 것 같았다. 내 친구들의 삶이란 무엇인가. 사회와 그들의 가족들은 그들 한 사람 한 사람을 키우기 위해 엄청난 돈을 투자했다. 그들은 사회의 최상층부 진입을 기다리는 대기자들이었다. 그러나 정작 그들의 삶은 무엇인가. 오늘은 술집, 내일은 당구장, 카페, 디스코텍. 그들이 관심을 갖는 것은 좋은 배우자, 좋은 차, 좋은 집, 좋은 직장…… 온통 그것들뿐이었다. 아무도 그 세계에서 빠져나오려고 하지 않았다. 나 역시 마찬가지였다. 속으로는 수행자의 삶을 꿈꾼다고 하면서도 나를 꼬드기는 세상의 유혹에 쉽사리 넘어갔다.

그때의 나를 생각하면 지금도 내 눈에는 눈물이 흐른다. 결국 그런 삶은 동물원에 갇힌 동물의 삶 아닌가. 평생 쳇바퀴를 돌 듯 그렇게 살아야 한다. 그러나 동물원 우리란 무엇인가? 내가 만든 것 아닌가. 그래 놓고 빠져나올 수 없다고? 그것은 우리 스스로가 갇힌 삶을 즐기기 때문이 아닐까.

나는 택시에서 내려 친구들과 함께 길을 걸었다. 걸으면서도 계속 이런 생각을 했다.

'이런 삶이 나에게 가져다주는 게 뭐지? 모든 사람들이 마치 꿈속에서 살고 있는 것 같아. 뉴욕 시의 마천루 같은 꿈. 하지만 그건 꿈 아닌가. 꿈꾸는 사람은 결코 서로를 볼 수도 없고 느낄 수도 없어. 모든 사람들은 각자가 자기들만의 꿈을 갖고 그 세계에 갇혀 있는 것 아닌가. 어떤 사람은 변호사의 꿈, 어떤 사람은 은행원의 꿈, 어떤 사람은 좋은 여자친구를 갖고 싶다는 꿈, 어떤 사람은 훌륭한 아버지의 꿈, 그러면 내 꿈은? 종교를 갖지 않는 철학자가 되겠다는 꿈? 더이상 책은 필요없어. 뭔가 행동이 필요해.'

마침내 술집에 도착했다. 술집에 들어가자 이미 도착했던 사람들이 일제히 우리를 반겼다. 자리를 잡고 앉자 아름다운 여자들이 다가와 달콤한 키스 세례를 퍼부었다.

돈이 나를 친구들에게 소개했다. 나는 친구들과 악수를 할 때마다 그들의 반응에 놀랐다. 상대방은 내 얼굴을 보고 흠칫 놀라는 표정들이었다. 그들의 반응에 내가 더 놀랐다. 내 깊은 마음속을 들키지나 않았나 부끄럽기도 했다. 그리고 그 정도로 고통스러워하고 있었나 하는 생각에 충격을 받았다.

나 역시 놀기를 좋아하는 사람이다. 그러나 그날 밤, 내 마음은 검정 숯검댕이가 얹힌 듯 답답했다. 여러 사람들이 나에게 말을 걸어왔지만 아무것도 흥미롭지 않았다.

어느덧 나는 혼자가 되어 술을 마시고 있었다. 오히려 그게 편했다. 그때였다. 아차! 일기장을 당구장에 놓고 온 것이다. 그즈음 나는 일기장을 항상 가지고 다녔다. 순간순간 아무에게도 털어놓을 수 없는 감정을 나한테라도 털어놓고 싶었다. 그렇게라도 하지 않으면 마음이 가라앉지 않았기 때문이었다. 그 일기장에는 지난 몇 달 동안의 나의 모든 것이 담겨 있었다.

친구들에게 얘기했더니 그곳으로 전화해서 내일 찾을 수 있도록 도와주겠다고 했다. 하지만 나는 서둘러 술집을 나와 당구장으로 향했다. 일기장도 일기장이었지만 마음 한 켠에서는 어서 빨리 이 분위기에서 빠져나가고 싶은 마음이 강했다. 뉴욕의 아름다운 밤거리를 걸으면서도 허무감에 견딜 수 없었다. 내가 믿었던 하느님은 그러면 환상이었나. 그렇다면 이제 무엇을 믿고 의지해야 하는가. 이 모든 고통을 나 혼자 고스란히 헤쳐나가야 하는가. 지독한 외로움이 밀려왔다.

나는 이제 다음 단계로 나아가야 함을 알았다. 그러나 방향을 모르고 있었다. 어디로 가야 하나. 하버드 대학원 입학을 앞두고 있었지만 철학책을 파고드는 건 더이상 도움이 안 돼. 쇼펜하우어도 마찬가지야. 그렇다고 죽을 때까지 이렇게 살 수는 없어.

'아! 나는 어떻게 살아야 하지.'

갑자기 일기장을 찾는 즉시 버려야겠다고 결심했다. 나의 모든 생각이 적혀 있는 일기장이란 나의 고통스런 삶을 대변하는 상징물 아닌가……. 오히려 그것을 쓰고 읽을 때마다 고통이 더하는 것 아닌가. 일기장은 쓰레기에 불과해. 그래, 일기장을 찾는 즉시 버리자.

당구장은 브루클린 다리 근처에 있었다. 브루클린 다리는 맨해튼에서 브루클린을 잇는 이스트 강에 서 있는 다리로서 뉴욕에서 아주 아름다운 다리다. 나는 일기장을 이스트 강에 던지기로 작정했다. 일기장을 버리면 마치 나의 고통이 사라지기라도 할 것처럼……. 그 뒤를 이어 많은 생각들이 지나갔다. 차라리 죽어버렸으면…….

나는 그때 환생에 대해 많은 생각을 하고 있었다. 당시 소크라테스를 읽고 있었는데 그가 말한 영혼의 불멸성에 관해 심취하고 있었다. 소크라테스는 지금 이생은 많은 인생 시리즈 중 한 막에 불과하다고 강조했다. 이생은 단지 전생의 결과물일 뿐이라는 것이다. 그리하여 우리는 이생에서 내생의 환생을 준비해야 한다는 것이다. '그렇다면, 내가 소크라테스의 가르침을 따른다면 강물에 몸을 던져 환생을 경험해볼 수도 있지 않을까. 어쩌면 이 끝없는 심연의 고통에서 자유로워질지도 몰라. 그래, 그들이 말하는 것을 내 행동으로 경험해보자.'

그런 깊은 생각에 잠겨 길을 걷고 있었다. 그러다 갑자기 내 옆에 다가온 목소리에 놀라 고개를 쳐들었다.

"야, 너 돈 좀 있냐?"

웬 뚱뚱한 흑인 거지가 계단에 앉아 나에게 말을 걸어왔다. 아주 누추한 옷차림을 하고 있었다.

처음엔 재수 없이 걸렸다는 생각을 하고 눈살을 찌푸렸는데 잠시 후 그의 환한 미소와 눈동자를 보고 흠칫 놀랐다. 그의 눈동자가 너무 맑았던 것이다. 그 뚱뚱한 흑인 거지 주변에는 친구들인 듯한 홈리스들이 둘러앉아 있었다. 더러운 머리칼, 제멋대로 자란 수염, 각종 오물로 뒤덮여 있는 듯한 악취, 그들은 큰 양주병을 돌려가며 마시고 있었다. 뚱뚱한 흑인은 그 한가운데 앉아 있었다. 그런데 신기하게도 그에게서 풍겨나온 분위기가 아주 따뜻하고 여유로웠다.

"야, 돈 좀 있으면 내놓고 가지 그래?"

본능적으로 바지 주머니에 손을 넣었다. 지폐다발이 쥐어졌다. 본래 파티에는 돈이 많이 필요했다. 최소한 2백에서 3백 달러는 준비해야 했다. 다행히 내 호주머니에는 3백 달러라는 큰돈이 있었다. 아무 생각 없이 그것 모두를 그에게 건넸다.

그 순간 돈이란 나에게 한낱 종이조각에 불과했다. 잠시 후면 브루클린 다리에 가서 몸을 던질 텐데 이 돈이 무슨 소용이 있다는 말인가. 내가 지폐 다발을 건네자 갑자기 그들이 달려와 내 손에서 돈을 낚아채고는 이내 함성을 지르고 행복한 표정이 되었다. 그런데 그 뚱뚱한 흑인은 움직이지 않았다. 계속 미소를 머금고 나를 쳐다보고 있었다.

그리고는 옆에 와 앉으라고 손짓했다. 나는 터덜터덜 그 옆에 가

앉았다. 누군가 자기들이 먹고 있던 양주병을 나에게 건넸다. 한 모금 들이켜라는 권유였다. 양주병 주둥아리 주변은 재 같은 게 덕지덕지 붙어 너무 더러웠다. 평소 같으면 손도 대지 않았을 텐데 그날 나는 완전히 삶의 의욕을 잃은 사람이었기 때문에 두려움이 없었다. 자세를 흐트러뜨리지 않고 계속 나에게 미소만 보냈던 뚱뚱한 흑인이 내게 말을 건넸다.

"야, 이름이 뭐야?"

"폴."

"무슨 일 있어? 왜 얼굴이 그 모양이야?"

"사는 게 재미없어."

그러자 그는 "하하하" 갑자기 웃음을 터뜨린 뒤 이렇게 물었다.

"오늘 며칠인지 알아?"

"글쎄, 3월 29일, 30일?"

그러자 그는 크게 웃으며 두툼하고 큰 손바닥으로 내 오른쪽 어깨를 툭 쳤다.

"아니야. 오늘은 네 생일날이야."

무슨 뜬금없는 소리야. 갑자기 어리둥절한 나는 이렇게 대꾸했다.

"내 생일은 11월달이야."

"아니야. 오늘이 바로 네 생일이라니까. 나중에 내가 한 얘기를 떠올리면 이해하게 될 거야."

나는 한참 동안 그의 눈을 쳐다보았다. 검고 깊으면서도 따뜻한 눈.

"자, 그러면 내가 생일 축하 노래를 하나 불러주지."

그는 자리에서 일어나 잔잔하면서도 성량이 풍부한 목소리로 흑인 영가를 부르기 시작했다. 아주 순수하고 맑은 목소리였다. 노래를 부르는 그의 얼굴은 마치 교회에서 성가를 부르는 듯 평온하고 행복한 표정이었다. 순간 가슴속에서 뭔가 벅차고 희망찬 것이 치밀어오르는 느낌이었다. 노래가 끝나갈 무렵, 그와 함께 앉아 있던 거지 친구들이 내가 준 돈으로 술과 안주거리를 사왔다. 어둠이 짙게 깔린 거리에 앉아 우리는 노래를 부르고 술을 마셨다.

나는 잠시 후 '그'가 누구인지 궁금해졌다.

"밤에는 어디서 자지?"

"지하철, 길거리 모두가 내 잠자리지."

"뭐 갖고 싶은 것은 없어?"

"하하하. 이 하늘 이 바람 이 공기 모든 게 내 것이야. 더이상 뭐가 필요해. 하하하."

그의 상쾌하고 환한 웃음이 너무 부러웠다. 내 마음도 덩달아 편안해졌다. 일기장을 찾아야겠다는 생각은 완전히 잊어버렸다. 그리고 내 아파트로 다시 돌아왔다.

다음날, 잠이 깨었을 때 나는 뭔가에 쫓기듯 전화번호부를 뒤졌다. 그리고 참선센터(Zen Center)의 전화번호를 찾기 시작했다.

나는 그렇게 해서 난생 처음 젠센터를 찾아 본격적으로 참선수행을 하겠다고 결심한 것이다. 뭐라고 설명할 수는 없지만, 둔기로 얻어맞은 듯한 충격 같은 느낌. 지금 와 생각해보면 그 흑인 거지야말로 길을 잃고 방황하는 내게 손을 내밀어준 관세음보살이었다.

참선센터는 진리의 문인가

이제 정말 수행을 할 젠센터를 찾아야 한다는 생각이 절실해졌다. (젠센터란 한국식으로 얘기하면 불교 사찰이다.)

그런데 몇 가지 문제가 있었다. 불교 바람이 아주 빠른 속도로 미국에 불어닥치고는 있었지만 그 역사는 일천하기 짝이 없다. 예를 들어 한국 같으면 불교에 관심이 있다면 본능적으로 아! 해인사나 수덕사나 화계사를 가봐야겠구나 하는 생각을 할 수 있다. 그리고 굳이 불교에 관심이 없더라도 '절'이라는 곳이 무엇을 하는 곳이고 거기에는 대충 어떤 전통이 있고 무슨 가르침이 있는지에 대한 이미지가 있다. 더구나 한국의 불교 전통은 아주 오래된 것이어서 고승들이나 '큰스님'에 대한 이야기가 책은 물론, 신문, 방송에도 자주 등장하기 때문에 아주 익숙하다.

그러나 미국은 그런 상황이 아니었다. 스님이나 절이 가까이 있는 것도 아니고 기껏해야 서점에 나와 있는 책을 통해 불교라는 '신

사상'을 접하게 된다. 이는 나도 마찬가지였다. 그런데 불교책에서는 하나같이 참선수행을 강조한다. 그러면 정말 참선수행을 하러 어디로 가야 하나. 또 누굴 찾아가야 하나. 처음부터 길이 탁 막히는 것이다.

미국에는 아주 다양한 종류의 불교 전통이 있다. 뉴욕 같은 도시만 예로 들어보더라도 티벳 절, 중국 절, 일본 절, 베트남 절, 비파사나 절, 스리랑카 절…… 물론 한국 절도 있다. 미국의 각 도시마다 많은 나라들에서 온 각기 다른 불교 사찰들이 있고, 한 나라 불교 전통에도 각기 다른 가르침이 있다. 예를 들어 티벳 불교만 보더라도 대처승이 있는가 하면 결혼을 하지 않는 승려도 있고 수행을 하는 과정에 있어서도 스승에 따라 염불을 강조하는 사람이 있는가 하면 경전 공부를 강조하는 사람도 있다. 이는 한국 불교 역시 마찬가지다.

그런데 어떻게 나에게 맞는 것을 선택할 것인가? 어떻게 하면 진짜 스승을 만날 수 있을 것인가? 고작 책 몇 권으로 불교 가르침에 입문한 나에게 이것은 절실한 문제가 아닐 수 없었다. 어쨌든 나는 일단 참선수행이라는 것을 한번 해보자고 다짐했다. 책에서 읽은 참선수행은 나의 의식에 직접적으로 와닿았다. 무엇보다 참선불교는 정직했다. 어떤 미신적인 신념을 요구하는 것이 아니었다. 어떤 교리나 독단, 혹은 이것만이 정통이라고 주장하지도 않았다. 무엇보다 수행을 강조했고 나는 내 마음속 깊이 오직 수행만이 진리를 찾게 해줄 것이라는 강한 믿음을 알게 모르게 가지게 됐다.

그 당시 그러니까 1980년대 후반, 나는 동양문화와 역사에 대해 아는 것이 하나도 없었다. 심지어 각국의 불교가 서로 어떤 차이가 있는지도 전혀 몰랐다. 그것들이 모두 같은 가르침, 같은 전통, 같은 문화에서 나온 것이라고 생각했다. 그러나 결과적으로 그것은 큰 착각이었다.

나는 일단 전화번호부를 뒤져 'Z'편을 찾아 펼쳤다.

미국에 현재 도입된 참선불교는 나라와 문화와 가르침에 상관없이 모두 '젠'(Zen)이라고 부른다. 젠이란 말은 애초에 일본 불교에서 나온 말인데 미국에 처음 도입된 불교 전통이 일본 불교이기 때문이다. 그래서 젠은 일본 불교 용어가 미국화된 것이라고 할 수 있다.

나는 많은 한국인들이 이 젠이라는 단어에 거부감을 갖고 있다는 것을 잘 알고 있다. 원래 일본 불교란 것이 한국 불교가 전래되어 만들어진 것인데 정작 서양에서는 참선불교 하면 무조건 일본 단어인 젠을 사용하니 억울하기도 하고 뭔가 옳지 않다고 생각하는 마음은 십분 이해한다. 어떤 한국 스님들은 외국인들에게 강의할 때 이 젠이라는 용어를 전혀 사용하지 않기도 한다. 그러나 서양에서 젠이라는 말은 단지 일본 불교만을 국한하는 말이 아니다.

한국 불교가 미국에 알려진 것은 숭산 큰스님이 가르침을 펴기 시작하신 1972년이었다. 이미 젠이라는 말은 참선불교를 뜻하는 외래어가 돼버렸다. 완전히 영어가 된 것이다. 일본 불교가 미국에 처음 발을 들인 것은 1880년이다. 그리고 그들은 점차 그들의 영향력을 넓혀 1896년엔 시카고에서 불교를 주제로 한 세계종교회의를 열기도 했다. 1940년대로 접어들면서 일본 이민이 크게 늘어난 것과 속도를 맞춰 많은 일본 선사들이 미국에 건너왔다. 특히 캘리포니아에 집중적으로 모여들었다.

일본 선사들 중에서도 가장 대중적인 인기를 누렸던 사람이 다이제츠 T. 스즈키 선사이다. 학자이기도 한 그는 1950년대에 미국 대학을 무대로 강의를 시작했다. 컬럼비아 대학에 개설됐던 참선수행과 불교에 대한 강의는 당시 영향력 있는 미국의 지식인들에게 큰 호기심과 반향을 불러일으켰다. 그것은 매우 역사적인 사건이었다. 그의 책과 가르침은 당시 기성세대에 반발하고 있었던 젊은이들, 소위 '비트 운동'(Beat Movement)에 엄청난 영향을 끼쳤다.

비트 운동은 20세기 아주 중요한 미국 문화운동이다. 알렌 긴즈버그(Allen Ginsburg), 잭 케루악(Jack Kerouac), 개리 스나이더(Gary Snyder), 윌리엄 S. 버로스(William S. Burroughs), 필립 웨일렌(Philip Whalen), 로렌스 펠링게티(Lawrence Ferlinghetti) 같은 시인과 소설가들이 모두 그의 강의를 듣고 참선수행을 시작했다. 그들은 자기들의 시와 수필과 소설에 불교의 가르침을 접목했고 그것은 그 당시 미국 문화를 혁명적으로 변화시켰다.

비트 운동의 기수들은 모두 미국의 아이비리그 출신으로 현대 산업사회의 소외와 무의미에 깊이 천착해 있었다. 그들에게 전통적인 종교는 더이상 해답을 가져다주지 못했다. 책이 아닌 수행을 통한, 남의 경험이 아닌 자기 자신의 경험을 통한 진리와 자아의 발견은 자의식이 강한 그들에게 스펀지에 물이 스며들 듯 파고든 것이다.

스즈키 선사의 가르침과 참선불교는 미국 지식인 사회에 널리 보급되기에 이르렀다. 그 결과 미국인들은 불교, 특히 참선불교를 신문화를 이끌어가는 전위문화로 인식하기 시작했고, 참선수행이야말로 영적 수행 방법 중에서도 아주 과학적이고 실용적인 형태라고 생각했다.

어쨌든 전화번호부에서 'Zen'으로 시작되는 낱말을 계속 따라가다가 내 눈은 드디어 'Zen Community of New York'이란 단어에서 멈췄다. 그것은 마침 내가 살고 있던 아파트에서 가까운 거리에 있었다. 막상 전화번호부에서 이름을 읽어보니 언젠가 들은 적이 있는 듯도 했다.

약간 떨리는 마음으로 전화를 했다. 자동응답기에서 녹음된 안내문이 흘러나왔는데 매일 저녁 여섯 시에 참선수행을 하는 프로그램이 있다는 내용이었다. 나는 그날 저녁에 당장 가보기로 했다. 드디어 내가 그렇게 찾아헤매던 진리의 길로 들어서는 것인가. 길을 찾을 수 없을 만치 뒤얽혔던 내 고통의 어두운 정글에서 벗어날 수 있다는 말인가. 내 마음은 설렘과 희망으로 두근거렸다. 드디어 드디어…….

정확하게 다섯 시 45분. 나는 젠센터가 있는 건물 정문을 바라보면서 건너편 길가에 서 있었다. 불과 몇 미터 떨어지지 않은 그곳의 문을 바라보면서 등줄기에는 식은땀까지 흘렀다. 이제 저곳에 들어가기만 하면 그동안 내가 그토록 찾아 헤매던 삶과 죽음에 관한 모든 질문들의 해답을 들을 수 있는가.

몇몇 사람들이 서둘러 계단을 올라 문을 열고 들어가는 모습이 보였다. 그들은 의외로 모두 평범해 보였다. 나와 같은 캐주얼 차림의 학생이거나 아니면 넥타이를 맨 회사원, 주부들 같았다. 좀 이상했다. 적어도 젠센터에 드나드는 사람이라면 뭔가 일반 사람들과는 다른 옷차림일 것 같았다. 아니면 머리를 삭발을 했다든지. 그런데 그게 아니었다.

내 가슴은 쿵쿵거렸다. 시계를 보니 다섯 시 50분. 이제 길을 건너 저 '진리의 문'으로 들어가야 할 시간이다.

뉴저지, 예일 대학, 독일, 파리, 그리고 지금 뉴욕 시내의 한복판, 참 많은 길을 돌아왔다는 생각이 들었다. 자, 이제 발을 옮겨 길을 건너자.

그런데 이게 무슨 일인가. 나는 꼼짝할 수가 없었다. 다리가 움직여지지 않았다. 마치 시멘트가 되어 땅바닥에 붙어버린 것 같은 느낌이었다. 글자 그대로 한 발짝도 움직일 수가 없었다. 어떻게 이런 일이 가능한가. 자전거에서 내려 서둘러 젠센터로 뛰어 들어가는 학생이 보였다. 멀리서 뛰어왔는지 운동복 차림으로 헐떡거리며 들어서는 사람도 보였다. 그런데 나는 뉴욕의 한 보도 위에 갇혀버린 것이다. 이제 한 발만 디디면 진리로 향하는 문을 열 수가 있는데 왜 도대체 한 발짝도 움직일 수가 없는 것일까. 등과 목줄기로 식은땀이 줄줄 흘렀다.

이윽고 '지금 내 발목을 잡고 있는 것은 바로 내 안에서 차오르는 두려움과 용기 없음'이라는 것을 알아차렸다.

아니야, 아니야, 지금 내가 무슨 짓을 하려고 하는 거야, 난데없이 젠센터라니. 저런 곳은 정신이 약간 이상한 사람들이나 가는 곳이야. 폴, 너는 지금 뭔가 착각하고 있는 거야.

내 안에서 울려퍼지는 이런 소리들이 내 다리를 더이상 움직이지 못하게 한 것이다.

수치스럽고 모욕적인 생각이 들었지만 도저히 길을 건너 저 문을 열고 들어갈 용기가 나질 않았다. 결국 발길을 돌려 지하철로 향했다. 집까지 가는 30분이 마치 3년 같았다.

밤늦도록 잠을 못 이뤘다.

용기 없는 겁쟁이, 바보라는 생각 때문에 완전히 기가 꺾여버린 것이다. 그렇게 간절히 갈구했건만 정작 마지막에 가서 주저앉아버리다니. 울고 싶었다.

그리고 두 달여가 지났다. 일상은 여느 날과 다르지 않게 흘러갔다. 낮에는 일하고 밤에는 친구들과 술을 마시거나 포켓볼을 치거나 파티에 가 열심히 몸을 흔들어댔다.

그러나 내 안의 나는 완전히 다른 사람이 되어 있었다. 절망과 외로움, 수치심, 모욕감이 엄습했다.

'어떻게 이런 상태에서 다른 사람들과 어울릴 수 있는가. 어떻게 다른 사람들을 사랑한다고 할 수 있는가. 내가 나 자신을 모르는데 어떻게 나 아닌 다른 것들을 사랑한다고 할 수 있는가?' 그런 의문들이 나를 점점 더 깊은 절망의 늪으로 빠져들게 했다.

하버드 신학대학원 입학

1989년 9월 하버드 신학대학원에 입학했다. 그때 나는 하버드에서 비교종교학에 관한 논문을 쓰겠다고 생각하고 있었다.

기독교적 신념을 갖고 살다가 진리를 찾는다는 생각으로 수많은 방황을 거친 끝에 불교를 만났다. 그러나 그때까지도 불교는 나에게 공부를 해보고 싶은 대상 그 이상 그 이하도 아니었다. 아직 인연이 안 닿아서 나를 이끌어줄 스승을 만나지 못했기 때문에 우선 책으로 먼저 불교를 공부해야만 했다.

겉으로는 불교와 기독교를 비교하는 학문을 하겠다고 내세웠지만 실제 나의 관심은 불교에 있었다. 그러나 그때까지도 내 안에서조차 그것을 인정하기 싫었다. 수십 년 동안 내 안에서 길러온 신념을 버린다는 게 쉽지 않았기 때문이었다. 키르케고르, 쇼펜하우어, 에머슨 등을 통해 신에 대한 일종의 부담은 덜었지만 그렇다고 내 마음이 편해진 것은 아니었다. 아니, 이전보다 더 고통스러워졌다.

연인과 막상 헤어졌을 때 마음속에서는 약간의 해방감마저 느끼지만 결국은 가슴을 칼로 저며내는 듯한 이별의 고통이 시작되는 것처럼 말이다.

예수님께서 "진리가 너희를 자유케 하리라"고 하신 말씀을 좇아 마침내 여기까지 왔는데 문제는 그 다음이었던 것이다. 그것은 끝이 아니라 시작이었다. 계속 앞으로 나아가기 위해서는 뭔가를 더 버려야 했다. 해방된 노예처럼 자유로웠지만 그만큼의 다른 뭔가를 대신 지불해야 했다.

그때까지 나의 모든 철학적 사색, 진리에 대한 탐구는 오로지 책을 통해서였다. 진정한 스승을 아직 만나지는 못했다는 말이다. 수녀님, 신부님, 수도사님들은 나에게 많은 영향을 끼쳤지만 그분들의 가르침에는 어떤 한계가 느껴졌다. 한 단계 더 높은 도약을 원하는 나에게 그분들의 말씀은 성이 차지 않았다. 그들은 진리에는 관심이 없었고 자기 생각, 자기 믿음, 자기 스승에게만 관심이 있을 뿐이었다.

나는 진리를 찾아 방황하다가 어느 순간, 내 옆에 아무도 없다는 것을 깨닫게 되었다. 갈라진 땅의 거대한 벼랑 끝에 내가 서 있다는 생각이 들었다. 이제 오롯이 혼자서, 오직 혼자의 힘으로 이 거대한 틈새를 건너 뛰어야 한다는 사실 앞에서 두렵고 당혹스러웠다.

하버드 신학대학원은 신학을 공부하려는 사람들뿐 아니라 철학이나 종교를 폭넓게 공부해보고 싶은 사람들에게는 아주 매력적인 곳이다. 대부분 학생들은 목사가 되기 위해 신학대학원에 가지만 하버드 신학대학원의 경우 그런 학생들은 절반밖에 안 된다. 나머지 절반은 다른 종교를 믿고 있거나 무신론자들이다. 하버드 신학대학원은 전세계의 종교와 인종이 함께 만나는 지구촌 대학원이다. 많은 학생들이 나처럼 교과서나 교수님들의 가르침 이외에 영적인 수행에 관심이 많았다.

나는 입학한 첫날부터 대학원 분위기가 열려 있다는 점에서 매우 만족했다. 게다가 무엇보다 나를 설레게 했던 것은 학교 내에 좋은 불교 강좌들이 개설되어 있다는 것이었다.

학교생활은 무척 재미있었다. 내가 좋아하는 에머슨, 쇼펜하우어에 대해 깊이 공부할 수 있었고 무슨 책이든 읽고 교수님과 얘기할 수 있었다. 또 불교를 비롯한 동양철학도 마음껏 공부할 수 있었다. 마침 학교 안에는 노장 사상 공부가 유행이었는데 특히 노자의《도덕경》은 너도나도 읽는 베스트셀러였다. 피어싱(귀는 물론 혀, 코, 배꼽, 입술 등에 작은 링 같은 장식을 다는 것) 안 하고《도덕경》안 보면 요새 젊은이가 아니라는 우스갯소리가 있을 정도로 당시 하버드에는 노자 열풍이 불었었다.

나 역시 노자와 장자의 저작을 스터디까지 해가며 열심히 읽었다. 그들의 가르침은 간단하고 명확했다.

'무위자연'(無爲自然).

나는 그런 개념을 처음 들었다. 그것은 여태껏 내가 생각하고 살아온 방식과는 완전히 다른 것이었다. 그동안 내가 배운 개념 속에서의 삶이란 오직 뭔가를 하는 것, 뭔가 얻으려면 뭔가 '해야 한다'는 것이었다. 그런데 무위자연은 삶에서 아무것도 만들려 하거나 가지려 하지 말라고 했다.

장자의 책에는 이런 이야기가 나온다.

숲에 나무 두 그루가 서 있었다. 한 나무는 아주 오래돼 밑동부터 썩은 나무였고 다른 나무는 아주 훌륭한 나무였다. 그 나무는 늘 옆의 늙고 못생긴 나무를 업신여겼다. 죽는 날만 기다리는 아무 쓸모없는 나무라고 놀려댔다. 그러던 어느 날 나무꾼이 나무를 하러 왔다.

숲을 둘러보던 나무꾼은 대번에 훌륭한 나무 한 그루를 알아보고 도끼로 찍어내기 시작했다. 그 나무는 고통에 못 이겨 눈물을 흘리면서 옆의 나무에게 이렇게 물었다.

"넌 어떻게 칼이나 도끼에 상하거나 찍혀 베어지지 않고 그렇게 오래 살아남을 수 있었니?"

그러자 늙은 나무가 이렇게 말했다.

"나는 못생기고 늙어서 그들에게 소용없기 때문이야. 그러니까 살아남는 거지. 세상 일도 마찬가지지. 만약 네가 무엇에 소용이 되면 살아남지 못할 거야."

카아, 이런 역설이 어디 있는가. 살려면 죽고 얻으려면 버려라.

하버드 신학대학원에 개설된 노자 · 장자 강좌에는 학생들이 넘쳐났다. 어떤 학생들은 책에서 그치지 않고 삶에서 노장 사상을 구현하려고까지 했다. 학교를 버리고, 여자친구를 버리고 가족을 버리고 무위자연의 삶을 산다며 산으로 들어갔다. 수염과 머리칼도 그대로 기르고 옷도 안 갈아입고 심지어 목욕도 잘 하지 않았다.

그들의 용기가 내심 부럽기도 했지만 그런 방식은 뭔가 나하고는 어울리지 않는다는 생각이 들었다. 노자가 말한 자유란 '몸의 자유'가 아니라 '마음의 자유' 아닌가. 흔히 '무위'라 하면 아무것도 안

하고 그저 산에 올라가 눈 감고 책상다리로 앉아 있는 것으로 생각하지만 진정한 무위란 그런 게 아닌 것 같았다.

1995년 〈현암사〉에서 펴낸 《도덕경》 풀이에 보면 편역자인 오강남 교수가 '무위'에 대한 적절한 설명을 붙였다.

> 무위란 물론 '행위가 없음'(non-action)이다. 그러나 가만히 앉아서 무위도식하거나 빈둥거린다는 뜻이 아니다. 무위란 보통 인간 사이에서 발견되는 인위적 행위, 과장된 행위, 계산된 행위, 쓸데없는 행위, 남을 의식하고 남에게 보이려고 하는 행위, 자기 중심적인 행위, 부산하게 설치는 행위, 억지로 하는 행위, 남의 일에 간섭하는 행위, 함부로 하는 행위 등 일체 부자연스런 행위를 하지 않는다는 뜻이다. 행동이 너무나 자연스럽고 너무 자발적이어서 자기가 하는 행동이 구태여 행동으로 느껴지지 않는 행동, 그래서 행동이라 이름할 수도 없는 행동, 그런 행동이 바로 '무위의 위'(無爲之爲) 즉 '함이 없는 함'이라는 것이다. 이런 행동방식, 이런 마음가짐, 이런 초월적 자유를 가진 자유인이 하는 일은 참된 일이기 때문에 '허사로 돌아가지 않는다'는 것이다. 우리는 얼마만큼 자유인인가?

그렇다, 나는 얼마만큼 자유인인가? 어떻게 나는 '무위'의 경지를 얻을 것인가?

어쨌든 나는 열심히 '공부'했다.

하버드의 인기 강좌

하버드 대학원의 첫 학기 때 마사토시 나가토미 교수로부터 불교 강의를 들었다. 그는 하버드에서 아주 존경받는 불교학자였다. 그는 20년 동안 하버드에서 불교를 가르쳤고, 많은 제자들이 미국 전역으로 흩어져 유명한 불교학자와 작가로 성장했다.

미국 불교 연구에 큰 영향을 끼친 마사토시 교수의 강의는 하버드에서도 아주 유명해 매강좌마다 수강생들로 붐볐다. 심지어 하버드 법대와 경영대학원 학생들까지 그의 강의를 듣기 위해 몰려들었다. 인근 보스턴 지역에 있는 MIT, 보스턴 대학교 학생들도 와서 청강을 하고 교환수업을 듣기도 했다.

그가 개설한 강의 제목은 '불교의 자연관'이었다. 마사토시 교수는 아주 스마트하면서도 다정다감했고 수업은 너무 재미있었다. 나는 늘 앞자리에 앉아 그의 강의를 들었는데 그럴 때마다 새로운 세계로 한발 한발 다가가고 있는 느낌이었다.

당시 하버드에서 가장 인기를 끌었던 강좌가 인터넷 강좌와 함께 불교 강좌였을 정도로 불교 열풍이 대단했던 시기였다. 거의 한 달에 한 번씩은 전세계 훌륭한 고승들, 학자들이 와서 강의를 했다. 티벳의 달라이 라마는 단골 인기 강사였고 인도, 스리랑카, 티벳, 일본의 큰스님, 학자들이 초청되어 왔다.

이같은 분위기에 힘입어 마사토시 교수의 강의는 아주 인기가 있었다. 그는 본래 인도 · 티벳 불교를 전공했는데 일본 불교도 함께 강의했다. 한국 불교 강의는 없었다. 나는 그와 점점 더 가까워졌다. 내가 공부를 아주 열심히 하고 진지했기 때문에 교수님 역시 나에게 많은 관심을 가져주었다. 나는 강의시간은 물론 수업이 끝나고 나서도 그의 연구실로 찾아가 여러 가지 질문을 하곤 했다. 교수님은 아주 너그럽고 친절했다. 당신이 아는 모든 지식이며 책을 나에게 전해주고 싶어하셨다. 교수님은 학생들에게 책을 빌려주지 않는 교수로 유명했는데 나에게만큼은 무슨 책이든 다 가져다 보라고 했을 정도였다.

나는 마사토시 교수를 통해 선(禪)불교에 대한 지식을 얻게 되었다. 달마대사, 조주, 마조, 임제, 육조 혜능 등 중국 선불교와 위대한 선사들의 이야기를 듣게 되었다. 너무 재미있었다.

1989년 가을, 교수님이 책을 한 권 추천해주셨다. 《육조단경》이라는 책이었다. 교수님은 그 책이 '선에 관한 한 가장 훌륭한 책'이라고 소개하셨다.

나는 점점 선불교의 세계에 빠져들었다. 그러면 그럴수록 더욱 갈증이 나기 시작했다.

책에 나와 있는 것은 단지 말일 뿐이고, 이곳은 중국도 아니니 절

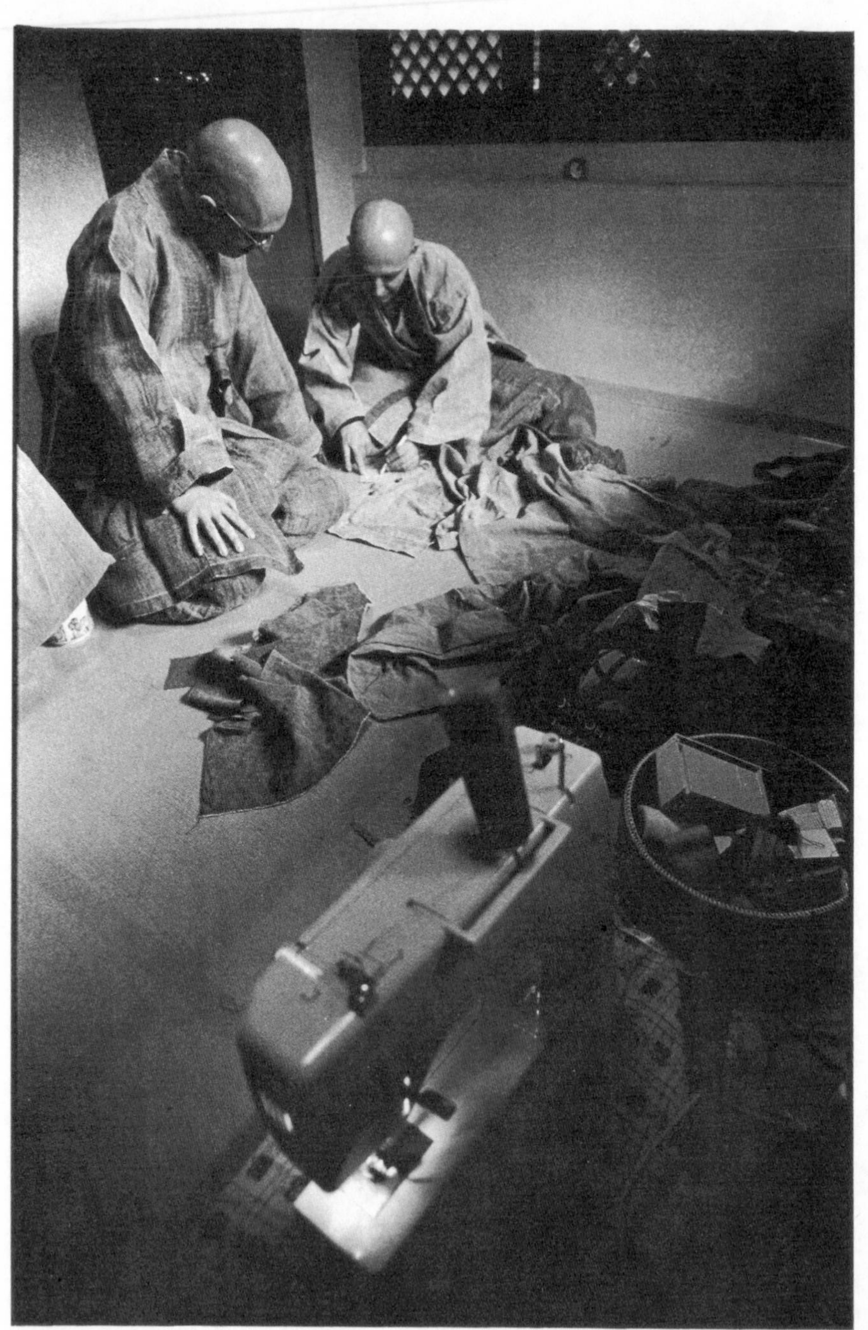

이 가까이 있는 것도 아니다. 불성을 얻기 위해 나는 무엇을 해야 하나. 그냥 아무 산이나 들어가서 무조건 다리를 꼬고 앉아 참선을 하면 되나? 스승이 필요하다. 나를 가르쳐줄 스승은 어디에 있는가. 심지어 나는 이렇게까지 생각했다. 왜 하필 미국 땅에 태어나 이 고생을 하는가.

12억 인구의 중국인들은 나보다 훨씬 행복한 사람이다. 불교식으로 얘기하면 그들은 나보다 훨씬 더 좋은 업을 갖고 태어난 사람이다. 장자, 노자, 혜능에 이르기까지 중국 성인들의 책은 나에게 너무나 가깝게 다가왔지만 그건 단지 책이었다. 책 속에 있는 활자 그 이상 그 이하도 아니었다. 나는 살아 있는 스승이 필요했다.

물론 내 옆에는 마사토시 교수가 있었다. 그는 흠잡을 데 없는 스승이었지만 단지 학자였다. 처음 한동안은 그를 선사처럼 존경했지만 시간이 지나자 나는 교수님이 나에게 지식은 줄 수 있으나 근원적인 나의 고민은 해결해주지 못한다는 걸 깨달았다. 이런 나의 생각을 교수님 역시 잘 알고 계셨기에 내가 뭔가 여쭙고 답을 기다리면 이렇게 말씀하시기도 했다.

"폴, 나는 단지 교수에 불과해. 그 이상 너에게 줄 수 있는 것은 없단다" 혹은 "네가 방금 한 그런 질문은 오직 너의 스승만이 대답할 수 있을 것 같구나"라고 하셨다.

나는 절망감을 느꼈다. 마치 마라톤 경기에 나가 죽을힘을 다해 뛰어 이제 마침내 저 멀리 종착점이 보이는데 더이상 뛰지 못하고 그 자리에 주저앉을 것 같은 낭패감이 들었다. 그동안 하버드에 초청되어온 수많은 승려들의 강의에 빠짐없이 참석했다. 그리고 개인적인 면담도 시도해보았다. 그러나 나와 인연이 닿는 사람은 쉽게 나타나지 않았다. 뭔가 기대를 하고 찾아가 보면 그냥 학교에서 만나는 학자나 종교인의 분위기만 느껴질 뿐 성에 차지 않았다.

그러던 어느 날, 마사토시 교수로부터 숭산스님의 강의를 들어보라는 권유를 받았을 때, 나는 사실 별 관심이 없었다. 캠퍼스 몇 곳에서 포스터도 흘긋 본 기억이 났지만 그냥 지나쳤었다. 또 한 사람의 그저 그런 승려, 아니면 불교 학자려니 생각했다.

나는 당시 희망이라곤 없었다. 무엇에도 신뢰가 가지 않았다. 물론 그날, 내 인생의 축을 바꾸었던 1989년 12월의 그날, 마사토시 교수가 나에게 숭산 큰스님의 강의에 꼭 오라고 하시면서 '살아 있는 생불(生佛)'이라고 극찬한 데 대해 약간 호기심이 동하긴 했다. 여태껏 수많은 불교 승려들이 학교에 왔다갔지만 교수님께서 생불이라고 칭한 사람은 달라이 라마를 빼고 숭산스님이 처음이었기 때문이다.

그날 아침, 리포트를 내러 교수님 방에 찾아갔을 때, 교수님은 한국의 숭산스님 이야기를 하면서 책꽂이를 한참 뒤지셨다. 그러더니 문고판처럼 아주 얇은 책을 내게 건네셨다. 《부처님 머리에 담뱃재를 털고》(Dropping Ashes on the Buddha, 여시아문 출판사에서 최근 《부처님께 재를 떨면》의 제목으로 번역, 출간되었다)라는 희한한 제목의 책을 나에게 건네주셨다.

"이 책은 선불교책 중에서도 고전으로 꼽히는 책이다."

나는 심드렁하게 그 책을 받아들고 잠깐 뒤적인 뒤 가방에 넣고 교수님 방을 나왔다. 그리고 그날 숭산스님을 만나기 전까지는 거들떠보지도 않았다. 그러나 그날 저녁 숭산스님 강의를 듣고 집으로 돌아온 날 저녁, 나는 미친 듯이 그 책부터 꺼내 펴들었다.

아! 그때 그 기분을 어떻게 표현할 수 있을까.

어느 교수나 승려로부터도 이런 설명을 듣지 못했다. 그동안 내가 읽었던 불교책의 99.99퍼센트는 불교, 마음, 법문, 의식, 본성품, 불성, 공(空) 등에 대해 '그것들은 이러저러한 것'이라고 설명하려 들었다. 그런데 이 책은 방금 내가 듣고 온 그의 강의처럼 질문과 대답을 통해, 심지어 어떤 질문에 대해 또 다른 질문을 통해 되물음으로써 명쾌한 답변을 내렸다.

예를 들면 이런 식이다. 마음이 무엇이냐고 물으면 기존의 불교 승려나 학자들은 남들이 얘기한 마음에 대한 정의부터 읊기 시작한다. '금강경에 따르면 마음은 어떤어떤어떤 것이고 어떤 사람들은 마음을 이러이러하게 설명한다'고 또 '설명'하는 것이다. 그들은 수많은 단어와 말, 이론, 아이디어를 사용해서 마음을 '표현'하려고 했다. 그런데 마음이란 궁극적으로 무엇인가. 숭산스님은 '말이 없는 것'을 설명하려 들지 않았다. 플라톤과 소크라테스 책 말고는 처음 접하는 방식이었다.

숭산스님은 학생들의 질문마다 그의 경험을 섞어서 학생들이 갖고 있는 생각으로부터 해답을 이끌어내고 있었다. 그리고 그 해답이란 질문자의 고통과 어려움을 깨끗하게 해결하는 데 맞닿아 있었다.

'아, 이것이 바로 한국 불교인가.'

나는 그날 밤 내내 잠을 이루지 못했다.

케임브리지 젠센터

다음날, 나는 친구들과 점심을 먹었다. 다들 전날 저녁의 숭산스님 강의가 화제였다. 문득 한 친구가 숭산스님의 절이 하버드 옆 어디쯤 있다는 말을 얼핏 흘렸다. 나는 벼락이라도 맞은 듯 깜짝 놀라 그에게 그 절이 어디 있는지 당장 가르쳐 달라고 졸랐다. 친구는 그저 하버드 옆 어디쯤 있는 '케임브리지 젠센터'라는 이름만 들었지 잘 모른다고 했다.

조바심 끝에 나는 전화번호부를 뒤지기로 했다. 케임브리지 젠센터, 케임브리지 젠센터…… 마침내 찾았다. 하버드 대학과 MIT 대학 사이에 있는 주소였다. 나는 지도까지 사들고 저녁 강의도 빼먹은 채 자전거를 타고 그곳에 갔다.

케임브리지 젠센터를 찾아가면서 갑자기 예일 대학에 다닐 때 보았던 한 건물을 떠올렸다. 예일 대학 4학년 때 기숙사를 나와 학교에서 좀 떨어진 조용한 곳에 아파트를 빌려 살았었다. 그런데 그때 내가 살았던 맨스필드 191번가를 지나면서 언젠가 흘긋 보았던 '뉴헤이븐 젠센터'라는 팻말을 기억해낸 것이다.

당시 그것이 불교 사찰이라는 것은 어림짐작으로 알고 있었지만 별로 관심이 없었다. 학교 다닐 때 클래스메이트 몇몇이 그곳에 다녔다는 말을 들은 적은 있다.

아하…… 그러고 보니 언젠가 그 건물 앞을 지날 때 회색 옷을 입고 머리를 삭발한 미국 남자가 빌딩 앞에 흔들의자를 놓고 책을 읽었던 장면도 기억난다. 나는 그 당시 호기심 어린 눈으로 그를 보았는데 그 역시 내 눈길을 느꼈는지 책에 묻고 있던 고개를 들어 내 쪽을 바라보았었다. 그는 나에게 희미한 미소를 보낸 뒤 이내 다시 책 쪽으로 고개를 돌렸다. 그때만 해도 나는 예수님의 가르침에 완벽한 신념을 갖고 있었던 터라 그런 사람들은 그저 나와는 다른 사람이라고만 생각했었다.

훨씬 나중에 알게 됐는데 그 뉴헤이븐 젠센터는 바로 숭산스님이 운영하는 사찰이었다. 집에서 바로 코앞에 있었던 숭산스님의 사찰을 그때는 그냥 모르고 지나다녔던 것이다.

두근거리는 마음을 가라앉히고 문을 노크하자 젊은 미국 여자가 부드러운 미소로 문을 열었다.

"여기가 한국의 숭산스님이 운영하시는 젠센터인가요?"

"그런데요."

"저는 하버드 대학원에 다니는 학생인데요. 어제 저녁 스님의 강의를 듣고 잠을 한숨도 못 잤어요. 참선하는 법을 배우고 싶습니다."

그녀는 어서 들어오라며 반갑게 나를 안으로 맞이했다.

"마침 오늘 신입회원들이 참선하는 날인데 잘 오셨네요."

좁은 복도를 지나 거실 문 앞에 섰다. 사진에서 본 적이 있는 종이를 덧댄 나무문이었다. 방으로 들어가려는데 앞서 걷던 그녀가 신발을 벗어 신발장에 넣는 모습이 보여 나도 따라했다.

내 키보다 훨씬 더 큰 신발장. 처음 보는 것이었다. 모든 칸에 운동화 하이힐 부츠…… 신발이 가득했다. 미국에서 집이나 사무실에 들어갈 때 신발을 벗는 것은 아주 드문 일이다. 더군다나 그때는 엄동설한 한겨울이었다. 나는 '이상한 나라의 앨리스'나 된 듯 완전히 다른 세계에서 벌어질 일을 기대하며 긴장하고 있었다.

나는 젠센터에 가면 온통 동양사람만 있으리라 생각했다. 그런데 문을 열어주는 사람부터 선방이라는 곳까지 모두 서양인들이었다. 누군가 나에게 회색 옷을 건네주면서 어떻게 입는지 알려주었다. 모두 끈으로만 된 옷이어서 묶는 데 시간이 오래 걸렸다. 나중에 알고 보니 그것이 한복의 옷고름 매는 것이었다(물론 나는 지금 한국 신세대들보다 능숙하게 옷고름을 맬 줄 안다).

선방에 들어가니 큰 금불상이 먼저 눈에 띄었다. 내 앞에 걷던 사람이 불상 앞에 두 손을 모으고 허리를 굽혔다. 얼떨결에 나도 따라했지만 좀 거부감이 일었다. 교회나 성당에 갈 때도 경건한 마음으로 들어가긴 하지만 이렇게 허리를 굽힐 정도는 아니잖아. 나는 지금 내 바깥에 있는 어떤 전지전능한 존재를 부정하는 불교 절에 와 있는데, 이것은 또다른 우상을 섬기는 일이 아닐까.

별의별 생각을 하면서 선방에 들어섰다. 약 서른다섯 명 정도가 큰 방석을 깔고 앉아 벽을 바라보며 참선에 열중하고 있었다. 나도 처음으로 본격적인 참선을 하고 저녁예불까지 참석했다.

예불시간에 들리는 목탁과 염불소리.

염불은 영어가 아닌 한국말로 읊어졌다. 나중에서야 그때 읊어진 염불이 〈반야심경〉 〈천수경〉 〈관음경〉이라는 것을 알았다. 처음 듣는 염불소리였는데도 얼마나 아름답게 들렸는지 모른다. 이윽고 예불이 끝나고 사람들이 선방을 나갔다. 나갈 때 부처님 불상 앞에 반배를 했는데 다들 익숙해보였다. 아주 인상적이었다.

법당 앞에 서로 마주앉았다. 약간 어색한 침묵이 끝나고 지도법사라고 자신을 소개한 남자 한 사람이 가운데 앉아 서로 자기 소개를 하자고 했다.

"저는 피터이고 MIT 대학 3학년에 재학중입니다."

"제 이름은 수지이고 보스턴의 법률회사에서 일하는 변호사입니다."

"저는 해리이고 보스턴의 증권회사에 다닙니다. 세 아이를 키우는 아버지입니다."

나는 그들이 모두 미국에서 안정된 직업을 갖고 있는 중산층이라는 데 놀랐다. 그리고 한결같이 좋은 대학에서 공부한 엘리트들이었다.

그동안 나는 내가 참선에 관심을 갖게 되면서 나 스스로도 좀 이상한 사람이라는 생각을 하고 있었다. 친구들 중 누구도 나처럼 불교에 깊이 심취한 사람이 없었고 그렇게 열심히 진리를 찾아 헤매는 사람도 많지 않았다. 그때만 해도 미국 내에서 불교를 믿는다고 하면 그저 동양사상에 심취한 히피 정도라고밖에 생각되지 않았다. 그런데 이렇게 많은 사람들이 참선에 열중하고 있었다니, 나로서는 놀라운 경험이었다.

그들은 돌아가면서 왜 참선을 시작했는지 솔직하게 털어놓았다.

"오랫동안 기독교 신자였는데 삶과 죽음의 문제에 대해 풀리지 않는 의문이 있어 참선을 시작했습니다. 나를 찾고 싶습니다."

"몇 년 전 어머니가 돌아가신 후 마음을 못 잡고 있습니다. 너무 고통스럽습니다."

"얼마 전 아내와 이혼한 뒤 아이들이 엄청난 충격에 사로잡혀 있습니다. 어린것들이 벌써부터 마약에 손을 대고 있습니다. 아버지로서 매일 그들과 싸우고 논쟁하지만 통제가 불가능합니다. 평화로운 마음을 갖고 싶어 이곳에 왔습니다."

나는 이른바 불교 신자라는 사람들은 나와는 뭔가 다른 사람이라고 생각했다. 그런데 그들은 나와 똑같은 내 나라 사람들이 아닌가. 하나같이 일상의 예기치 못했던 고통과 피곤함과 건조함에서 벗어나고 싶어했고 거기서 자유롭기를 원했다.

나는 점점 더 어떤 확신의 길로 들어섰다는 환희를 느꼈다. 그토록 고통에 신음하며 밤을 지새던 날들…… 이제야 제대로 길을 찾은 것인지도 몰라. 아! 이 얼마나 기쁜 일인가.

그런데 큰 문제가 남아 있었다. 바로 내 다리였다. 평생 책상에만 앉아 버릇 했던 나에게 20, 30분씩 가부좌를 트는 참선 자세는 완전히 고문이었다. 그전에 참선수행을 시도하긴 했지만 기껏해야 5분에서 10분 사이였다. 그것도 한 달인가 하다 그만둔 지 오래였다. 다리가 너무 아파 몇 분 못 가 무릎을 내내 세우고 있어야 했다. 나와 비슷한 사람도 몇몇 눈에 띄었다. 집으로 돌아오면서 나는 어쩌면 다리 때문에 성불(成佛)할 수 없을지도 모른다는 불안감을 떨쳐버릴 수가 없었다.

미국식 참선수행

숭산 큰스님이 미국 절을 운영하는 방식은 아주 재미있다. 오랜 불교의 전통을 가진 한국에서는 불교 신자들 중에 나이 드신 분들이 많은데 미국에서는 완전히 딴판이다. 미국에 불교가 도입된 것은 일본 불교를 중심으로 1950년대. 모든 것이 그렇듯 새로운 것에는 젊은 사람들의 관심이 우선 쏠리게 마련이다. 따라서 불교에 관심을 가지게 된 사람들은 당시 미국의 젊은이들이었다. 이것은 요즘에도 마찬가지다. 오랜 불교 전통을 가진 동양 사람들에겐 이상하게 들릴지 모르지만 불교는 미국의 신세대 문화다. 미국의 부모님들은 불교에 관심 있는 젊은이들을 히피 문화에 심취한 사람들이라고 생각하기도 한다.

숭산 큰스님이 미국에 오셔서 첫 포교를 시작하신 해가 1972년이다. 큰스님께서는 미국 젊은이들이 한국과 비교해볼 때 상대적으로 부모로부터 독립되어 있고 여행이나 교제 등 많은 자유를 향유하고 있으므로 비구, 비구니가 될 사람들이 많을 것이라고 생각하셨단다.

그런데 사실은 그렇지 않았다. 미국 청년들은 자유롭긴 했지만 자유에 '집착'하는 경향이 있어서 오직 몇몇 사람만이 출가를 했다고 한다. 그러다 보니 절 운영방식도 한국에서와는 완전히 다른 미국식으로 운영되었다. 미국에서는 사찰문화가 달리 있었던 것도 아니었으므로 숭산 큰스님은 미국 문화에 맞는 새로운 미국식 불교 문화를 만들어야 했다. 그리고 그것은 놀라운 결과로 나타났다.

우선 미국에서는 출가한 비구, 비구니나 그렇지 않은 신도들이 함께 수행을 한다. 숭산 큰스님이 미국의 뉴헤이븐, 프라비던스, 케임브리지 등에 세우신 한국 절(젠센터)에서는 신도와 스님들이, 남자와 여자가 한방에서 함께 참선수행을 한다. 학생, 변호사, 회사원, 공장 노동자 등 다양한 직업을 가진 남녀노소가 스님들과 함께 수행한다. 그리고 희망자들은 월세를 내고 절에 함께 머물면서 스님들과 생활할 수도 있다.

스님과 신도들은 매일 새벽 네 시 반이나 다섯 시에 함께 일어나 108배를 하고 염불하고 참선한다. 같이 아침 발우 공양을 마친 뒤 스님들은 절의 일터로, 신도들은 각자 직장으로 흩어진다. 그리고 저녁이면 다시 젠센터로 모여 저녁 공양을 같이하고 저녁 예불과 참선을 한다. 신도들 모두에게는 각자 방이 있고 또 각자 모두 절에서 맡아 해야 하는 일이 있다. 청소나 빨래, 쇼핑, 쓰레기 버리기 등 공동생활에 필요한 모든 일을 나눠서 한다. 한 달에 약 1인당 480달러(한국 돈으로 약 58만 원)를 내는데 음식 등 모든 것을 젠센터에서 해결할 수 있다. 요리도 각자 사정에 맞게 돌아가면서 만든다. 설거지도 같이한다.

젠센터 스님과 신도들은 한 달에 한 번씩은 적어도 주말을 이용한 사흘간의 용맹정진 참선 프로그램에 참여한다. 사정이 있으면 하루나 이틀만 참여해도 된다. 그 기간 동안에는 모두 묵언한다. 만약 사정이 생겨 용맹정진에 참석하지 못하는 사람들은 절 안에서 아주 조용하게 지내야 한다. 아침 저녁의 예불시간에는 절에 사는 사람들뿐 아니라 인근 지역에 사는 사람들이 모두 참가한다. 숭산 큰스님이 만든 이런 사찰 문화는 참선과 생활을 접목시키려는 미국인들에게 아주 잘 맞았다.

큰스님의 책에는 이런 말씀이 있다.

미국 사람들은 자유롭다. 그러나 때때로 자유에 너무 집착한다. 다른 사람들이 손끝만큼이라도 간섭하는 것을 싫어한다. 절에 살고 싶은 사람이라면 새벽 네 시반이나 다섯 시에 일어나야 하고 108배도 함께해야 하고 염불도 해야 하고 참선도 해야 한다. 같이 밥먹고 함께 일해야 한다. 이런 식으로 단체 수행하면 여러분들의 업은 녹아 사라져 다른 사람들을 도우며 살 수 있다.

나 자신만의 상황, 의견을 고집하지 않게 된다. 단체 수행은 다른 사람이라는 거울을 통해 나의 업을 보는 것이다. 마치 감자를 깎는 것과 같다. 미국 사람들은 감자를 하나하나 깎는다. 그러나 내가 어렸을 때 한국에서는 큰 고무 대야에 감자를 담아놓고 마구 비벼서 감자들이 서로 껍질을 벗겨내도록 한다. 나뿐만 아니라 다른 감자의 행동으로 자기의 껍질이 벗겨지게 하는 것이다. 감자를 하나하나 깎는 것보다 쉽고 빠르다. 이것이 바로 다른 사람의 거울로 내 업을 녹여내는 것이다.

나는 케임브리지 젠센터에 신입회원으로 등록하고 나서 한 달 뒤 아예 살림을 젠센터로 옮겨 단체 수행을 시작했다. 고무 대야에 섞인 감자가 되기로 한 것이다.

아침 일찍 일어나 예불과 참선을 함께하고 저녁에 다시 예불과 참선을 하는 생활이 시작되었다.

나는 면벽 참선을 하면서 많은 경험을 하게 되었다. 양다리를 꼬고 앉아 벽을 바라보며 아무 일도 안 하고 있는데 머릿속엔 수많은 생각이 오가는 것이다. 머릿속에 휙휙 지나가는 그런 생각들을 오랫동안 객관화시켜보기는 처음이었다.

이런 생각은 어디서 오는 것인가. 무엇 때문에 나는 이런 생각을 하는가.

난생 처음 나는 내 마음의 본질, 내 생각의 근원에 대해 깊이 파고들기 시작했다. 이것은 정말 신비한 경험이었다. 그 어떤 책이나 수업으로부터 받은 가르침보다 깊은 경험이었다. 다리는 여전히 불편했지만 앉았다가 일어설 때마다 가슴 깊이 벅차오르는 희열을 느꼈다. 케임브리지 젠센터 생활을 시작한 지 얼마 안 돼 나는 3일 용맹정진 특별 수련에 참여했다. 사흘 동안 매일 여덟 시간씩 앉아 참선수행을 했다.

젠센터에서의 단체 생활은 여러 가지 배울 점을 주었다. 그동안 나는 내가 좋아하는 친구들과만 함께 살았다. 그런데 젠센터에서는 내가 선택하지 않은 사람과 같이 살아야 한다. 그러다 보니 내가 싫어하는 스타일의 사람과도 만나게 된다. 견해가 서로 다르니 싸우기도 하고 반대로 큰 경험을 하기도 한다. 그런데 우리는 점차 단체 생활을 통해 자신을 들여다보게 되었다. 정말 큰스님의 말씀대로 거울 같았다. 다른 사람이라는 거울을 통해 나 자신을 보는 것이다. 아, 내가 이런 사람이었구나.

무엇보다 나의 단점이 아주 뚜렷하게 보였다. 내가 싫다, 좋다는 가치 판단을 놓아버리면 나는 그들과 조화를 이루어 잘 살아갈 수 있지만 내 견해, 내 상황에 집착하면 내 주변의 조건과 상황은 금세 나빠졌다. 조화가 이뤄지지 않는 것이다. 매일 아침, 저녁으로 수행하고 어디서나 마주치는 그들과 조화를 이루지 않으면 나의 삶은 금세 최악의 상황으로 바뀌었다.

자기 견해와 상황을 버릴 것인가 말 것인가는 우리 몫이었다. 그것은 쉬운 일이 아니었다. 그러나 '나'를 버리지 않으면 스트레스와 고통이 나타났다. 스님은 스님대로 신도는 신도대로 남자는 남자대로 여자는 여자대로 각자의 상황을 고집하면 싸움이 일어났다.

그리하여 우리는 아주 중요한 사실 하나를 깨달았다. 미국인이든 중국인이든 백인이든 흑인이든 자기가 처한 모든 생각과 견해를 버린다면 세계 평화가 비로소 가능할 것이라는 생각 말이다. 우리는 심지어 그 작은 공간에서 세계 평화가 가능한지 불가능한지 테스트한다고 농담했을 정도였다.

만약 내 조건과 상황 견해를 버리면 내 마음이 평화로워지고 내 마음이 평화로워지면 젠센터가 평화로워진다. 그리고 그걸 안 이상 이미 세계 평화는 이루어진 것이나 다름없다는 게 우리의 결론이었다.

공안인터뷰, 공안수행

나는 사흘간의 수련 동안 처음으로 공안인터뷰라는 것을 했다. 이 공안인터뷰는 숭산 큰스님의 아주 독특한 가르침으로, 비로소 나는 큰스님의 가르침 스타일대로 그를 만난 것이다. 나는 개인적으로 이 공안 방법이 우리들 생각의 집착을 끊게 하는 가히 혁명적인 방법이라고 생각한다.

숭산 큰스님은 한국 불교의 수행 전통을 서양 의식에 성공적으로 접목시키셨는데 이 공안인터뷰는 가장 대표적인 예라고 할 수 있다.

공안(公案)과 화두가 무엇인지부터 짚고 넘어가 보자.

참선에 입문한 사람들이 수행을 통해 어떤 깨달음에 이르렀다고 할 때 그 경지가 어느 정도인지 어떻게 확인할 수 있을까. 이때 필요한 것이 공안(선종에서 도를 깨치게 하기 위하여 내는 과제)이다. 즉 제자들이 수행을 통해 깨달은 한쪽을 스승이 깨달은 한쪽과 맞춰보는 것이다. 마치 깨진 거울을 맞추듯 말이다. 공안은 이같은 깨달음의 경지를 확인하는 것 외에 그 자체가 수행이므로 공안수행이라고도 한다. 스승과의 문답을 통해 제자는 자신의 수행을 돌아보고 모든 생각을 끊어 다시 수행에 전념하는 것이다.

선수행을 통해 모든 생각을 끊고 생각 이전의 상태로 돌아가는 것은 쉽지 않다. 몇십 년 동안 신문, 방송, 잡지, 책 등을 통해 내 머릿속에 입력된 온갖 지식, 그리고 그것이 빚어내는 망상을 하루 아침에 없애 몸과 정신을 씻어내기란 거의 불가능하다. 숭산 큰스님은 바로 공안수행을 통해 우리 머릿속의 온갖 잡생각을 사정없이 뚝뚝 잘라내 제자들이 쉽고 빠르게 진리의 길로 갈 수 있도록 하셨다. 온갖 복잡한 생각을 모두 끊어 제자들에게 '오직 모르겠다'는 본질적인 마음으로 돌아가게 한다.

한편 화두수행이란 공안 질문을 통해 스승이 던지신 질문, 그 실마리를 붙잡고 계속 참구(參究)수행하는 것이다. 먹을 때나 일할 때나 명상수행할 때나 차를 마실 때나 화두를 강하고 맑게 잡고 있으면 어떤 깨달음을 얻을 수 있다. 전통적으로 한국 불교에서 비구, 비구니들은 스승한테 한 가지 화두를 받아 깨달음을 얻을 때까지 참구수행한다. 앉을 때나 설 때나 잠을 잘 때도 화장실에 갈 때도 화두를 잡고 있는다. 그런 화두수행을 통해 뭔가 깨달음을 얻으면 스승은 그것을 공안을 사용해 테스트한다.

큰스님은 언젠가 우리에게 이렇게 말씀하신 적이 있다.

옛날 사람들의 생각은 지금보다 훨씬 단순했다. 잡생각이 지금 사람들보다 별로 없었다는 얘기다. 따라서 화두 하나를 잡으면 수년 수개월 동안 수행에 전념할 수 있었다. 때로 아주 깊은 산에 들어가 수행하면 생활은 더 단순해져 깨달음을 얻기가 쉬웠다. 그런데 요즘은 다르다. 자유가 많아진 만큼 선택할 것도 많아졌고 그에 따른 지식이나 정보도 많이 필요해졌다. 사는 것이 훨씬 복잡해졌다.

서양은 동양보다 더 복잡하다. 더구나 우리 젠센터에서처럼 각자 직업을 갖고 수행하는 사람들은 아예 머리 깎고 산에 들어가 살며 수행하는 사람들보다 더 많은 것들에 사로잡혀 있다. 그들은 복잡하고 바쁜 생활을 한다. 가족이 있고 다양한 것들에 사로잡혀 있다. 사회는 점점 더 많은 자유를 사람들에게 주고 있지만 생각과 삶은 더 복잡해졌다. 미국의 젊은 사람들을 보아라. 무엇이든 할 수 있지 않은가. 심지어 인간관계에서의 제약도 없다. 여자가 여자를 사랑할 수도 있고 남자가 남자를 사랑할 수도 있다. 이렇게 할 수 있는 일은 많아졌지만 그렇기 때문에 결정하고 선택해야 할 일은 더 많아졌다. 따라서 옛날처럼 오직 화두 하나만 오래 들고 앉아 있는 수행은 요즘 사람들에게 너무 어렵다. ……공안인터뷰를 통해 복잡하게 얽힌 생각들을 탁탁 끊어내야 한다.

그래서 숭산스님의 절에서는 자주 공안인터뷰 수행이 벌어진다. 주말을 이용한 3일 특별 수련 때는 매일, 여름과 겨울철의 3개월 특별 수련(보통 안거라고 한다) 때는 한 사람당 일주일에 세 번씩 지도법사들과 공안인터뷰를 한다. 나의 첫번째 공안인터뷰는 1990년 1월경 케임브리지 젠센터에서 숭산스님의 제자인 무등스님과 이루어졌다. 그는 재미교포였던 한국인이었다.

저녁 예불을 마치고 그와 마주앉았다. 나는 그에게 먼저 절을 했다. 온화한 미소를 띤 그는 나에게 먼저 "질문이 있어요?" 하고 물었다. 나는 겸연쩍게 웃으면서 "너무 많아 무엇부터 여쭤야 할지 모르겠습니다" 하고 대답했다. 당시 나는 온갖 궁금증으로 머리가 터질 지경이었다. 무등스님은 여전히 만면에 웃음을 드리우고 이렇게 말씀하셨다.

"그럼, 내가 먼저 묻겠어요. 당신은 하버드 대학원에 다니는 공부를 아주 잘하는 학생이니 어떤 질문이든 대답할 수 있겠지요. 우선 아주 쉬운 질문 하나를 하겠습니다. 부처님께서는 이 세상 모든 것에 불성(佛性)이 있다고 했습니다. 그런데 어느 날 중국의 조주선사에게 한 제자가 '개에게도 불성이 있습니까?' 하고 물었습니다. 그러자 조주선사께서는 '없다'라고 잘라 말씀하셨습니다. 자, 이제 제가 묻겠습니다. (그러면서 그는 왼쪽 팔에 차고 있던 시계를 풀더니 이렇게 말했다.) 이 시계에는 불성이 있습니까 없습니까?"

나는 갑작스런 그의 질문에 당혹스러웠다. 할말을 잃었다. 수많은 생각들이 머리에 오갔지만 무슨 말을 던져야 할지 판단이 서질 않았다. 부끄러움에 얼굴이 빨개졌다.

그러자 잠시 후 그는 활짝 웃으면서 이렇게 말했다.

"당신은 하버드에 다니는 수재인데 대답을 못하는군요. 아이들도 답할 수 있는 질문인데 말이에요. 당신 머릿속엔 쓸데없는 지식으로 가득 차 있군요. 하하하."

그의 방을 물러나와 다시 선방으로 돌아왔다. 그리고 참선수행을 계속했다. 그때는 1월 한겨울이었는데도 내 몸에선 식은땀이 흘렀고 심장은 쿵쿵거렸다. 내가 그렇게 왜소하게 느껴질 수가 없었다. 그런 간단한 질문에 대답을 못하다니…….

아니 솔직히 말하면 그의 질문이 뭘 의미하는지조차 파악을 못하고 있었다. 생전 태어나서 그런 질문을 받아본 것은 처음이었다. 그동안 나에게 한번도 그런 유의 질문을 한 사람은 없었다. 부끄러움과 나 자신에 대한 실망감이 일었다. 그러면서도 한편으로는 참선수행과 공안수행에 대해 강한 호기심이 일었다.

불성이란 무엇인가, 깨달음이란 무엇인가, 진리란 무엇인가.

나는 정말 내 본성을 찾고 싶었다. 지식이 아닌 생생하게 살아 있는 경험으로 말이다. 지금 이 길에서 과연 누가 나를 도와줄 수 있는가. 누가 나의 길을 대신할 수 있는가. 나말고는 아무도 없다는 진한 외로움 뒤에 순전히 혼자 이 진리의 길을 가야 한다는 굳은 신념이 일었다. 나를 찾으리라, 반드시 나를 찾으리라…….

나의 마지막 스승

내가 숭산 큰스님을 비로소 개인적으로 만난 것은 그로부터 한 달이 지난 2월경이었다. 그때 큰스님은 로드아일랜드에 있는 프라비던스 젠센터 '홍법원'에 계셨다. 당시 홍법원에는 90일간의 동안거가 진행되고 있었는데 큰스님께서는 전세계를 무대로 강의와 법문을 하시다 잠시 잠깐씩 짬을 내서 안거 때마다 프라비던스 젠센터에 오셔서 안거 수행자들에게 법문과 공안 인터뷰를 하곤 하셨다.

우리 케임브리지 젠센터의 도반들은 그 소식을 듣고 부랴부랴 짐을 꾸려 프라비던스로 갔다. 홍법원에 도착했을 때 나는 깜짝 놀랐다. 주말도 아닌 평일 저녁시간이었는데 무려 5백여 명이나 모여 있었다. 인근 브라운 대학, 차로 두 시간 반이나 떨어진 예일 대학, 역시 차로 한 시간이나 떨어진 보스턴 대학의 학생과 교수들은 물론 뉴욕 월스트리트에서 일하는 샐러리맨들, 주부들까지 모여 있었다. 그날 숭산 큰스님의 법문은 사전에 별 예고도 없었다는데 이렇게 많은 사람들이 모여들었다며 케임브리지 지도법사들이 놀란 입을 다물지 못했다. 나로서도 놀라운 일이 아닐 수 없었다.

드디어 큰스님이 선방에 모습을 드러내셨다. 두 달 전 하버드 대학 대강의실에서 멀리서 처음 뵌 이후 비로소 가까이서 뵙게 된 것이다. 나는 떨리는 마음을 누르고 큰스님의 얼굴을 보았다. 온화한 미소와 반짝이는 눈동자를 가진 큰스님은 선방 안에 아름다운 공명을 만들면서 법문을 시작하셨다.

> 오랜 옛날, 세상은 단순했습니다. 그런데 지금은 너무 복잡해졌어요. 이렇게 된 가장 큰 이유가 뭔지 아십니까. 바로 사람 때문이에요. 사람이 갑자기 늘어났기 때문입니다. 제2차 세계대전이 끝난 1945년만 해도 지구상 총인구는 20억에 불과했습니다. 인류가 이 지구상에 살기 시작한 이래 수백만 년이 지났건만 그전까지만 해도 인구 성장은 그렇게 급격하지 않았습니다. 고작 많아야 20억 정도에서 왔다갔다했지요. 그런데 지금(1990년)은 무려 50억에 달합니다. 제2차 세계대전이 끝난 지 50여 년밖에 안 지났는데 그동안 무려 30억 인구가 늘어난 것입니다. 제2차 세계대전 이후 세계는 아주 복잡해졌습니다. 사람들의 생각이 복잡해지고 삶이 복잡해졌습니다. 그러다 보니 고통의 종류도 많아지고 정도도 깊어졌습니다. 이 모든 것은 이 지구상의 인구가 너무 많은 데서 온 것입니다.

뭔가 신비하고 내 가슴에 탕 전율이 올 말을 기대했건만 큰스님은 난데없이 인구 이야기를 꺼내셨다. 호기심이 일긴 했지만 별로 신기할 것은 없었다. 그저 그런 당연한 말씀 아닌가.

정작 본론은 그 다음부터였다.

왜 인구가 이렇게 갑자기 늘어났을까? 그리고 세상은 왜 이렇게 갑자기 복잡해졌을까? 여러 가지 이유가 있겠지만 나는 사람들이 고기를 즐겨 먹기 때문이라고 생각합니다. 제2차 세계대전 전까지만 해도 사람들은 고기를 별로 잘 먹지 않았습니다. 심지어 아시아 사람들은 1년 가야 한두 번, 끽해야 명절 같은 날 겨우 고기 구경을 했지요. 하지만 요즘은 하루에도 몇 번씩 고기를 먹습니다. 서양 사람들은 말할 것도 없구요.

모든 살아 있는 것에는 영혼, 즉 정신의 에너지가 있습니다. 그리고 이것은 몸이 죽는다고 함께 죽는 것이 아닙니다. 매일매일 이 세계에서 수십만 수백만 동물이 인간의 먹이로, 혹은 놀잇감이나 장신구용으로 한꺼번에 죽어갑니다. 동물의 몸이 죽으면 그 순간 동물의 의식은 몸에서 떨어집니다. 이 세상의 인과관계는 항상 명확합니다. 이 죽는 동물들에서 0.00001퍼센트가 사람이 되는데 인간의 입장에서 보면 결코 적은 숫자가 아닙니다. 이것은 석가모니 부처의 이론이 아닙니다. 과학입니다. 에너지가 다른 형태로 바뀌는 물리학입니다.

여러분들 뉴욕이나 보스턴 거리를 걸으면서 사람들의 얼굴을 자세히 들여다보세요. 찬찬히 보면 많은 사람들이 동물의 의식을 갖고 있음을 알 수 있습니다. 그들의 마음속엔 인간과 동물의 의식이 섞여 있습니다. 동물들은 오직 자기들만의 종족 번식을 위해 싸우며 다른 종과는 어울리려고 하지 않습니다. 이런 동물의 의식이 인간의 의식 안으로 들어온 것입니다. 그래서 더 많은 폭력이 생겨나고 갈수록 늘고 있습니다. 학생들이 부모와 스승을 죽이고 많은 나라의 독재자들이 군대를 동원해 국민들을 죽입니다. 이것은 어찌 보면 당연한 결과입니다.

요즘 이런 상황은 더 심각해졌습니다. 오로지 돈을 위해서 친구와 부모를 죽이고 동물을 죽이고 바다를 죽이고 지구를 오염시킵니다. 여러분 자신을 들여다보십시오. 원래 우리 마음은 순수하고 맑습니다. 조금 욕심이 있어도 우리는 그것을 지배할 수 있습니다. 그러나 동물은 욕심을 지배하지 못합니다. 그래서 이 지구는 통제 불가능한 폭력이 지배하는 세상이 됐습니다. 우리는 우리 본래의 의식과 마음의 씨인 이 본성을 깨달아야 합니다. 어느 나라 어느 민족을 보아도 마찬가지입니다. 정치나 종교 그 자체로는 이 세상을 도울 수 없습니다. 지식인들 역시 마찬가지입니다. 물론 노력하면 뭔가 겉모습을 약간 변형시킬 수 있을지 몰라도 궁극적인 문제를 해결해주진 못합니다.

쉽고도 재미있는, 그러면서도 한마디 한마디 버릴 것이 없는 말씀이었다. 나는 큰 감동을 받았다.

큰스님의 말씀이 끝난 후 참석자들은 자연스럽게 여기저기 둘러앉아 녹차를 마시며 얘기를 나누었다. 나는 마침 뉴욕 대학에서 온 학생들과 얘길 했는데 그들 역시 큰스님 말씀에 진한 감명을 받은 듯했다. 그들은 본래 큰스님을 뉴욕 대학에 초청하는 문제를 상의하러 왔는데 큰스님의 일정 때문에 이루어지지 못했다. 참석자 중에는 예일 대학 법대를 다니는 학생도 있었는데 그의 말이 아주 인상적이었다.

그는 법대에 들어가자마자 희망에 부풀었었다고 했다. 법을 통해 사회를 바꿀 수 있다는 자신감에 가득 찼었다고 한다. 그러나 곧 자신의 이상이 헛된 것이었음을 느꼈다고 했다. 법은 단지 비즈니스일 뿐 사회를 변화시키지 못하며, 법을 바꾼다 하더라도 그것은 단지 겉의 변화일 뿐 이 세계를 궁극적으로 바꿀 수 없음을 깨달은 것이다. 예를 들어 미국은 남아프리카보다 더 훌륭한 법체계를 갖고 있다. 그러나 미국의 폭력지수, 교도소 죄수들의 비율은 남아프리카보다 훨씬 더 높다. 사회를 법으로 바꾸겠다는 생각, 정치적으로 해결할 수 있다는 생각은 헛된 것임을 깨달을 즈음 숭산 큰스님을 만났다고 한다. 중요한 것은 바깥이 아니라 안, 우리의 마음이라는 큰스님의 말씀에 감명을 받고 수행에 열심히 참여하게 되었노라고 했다.

나는 그날 밤 미국의 건강한 인텔리들을 만났다는 사실에 무척 고무되었다. 늘 겉과 속이 다른, 생활과 말이 다른 사람들만 보며 실망을 했는데 그날 밤 그곳에서 만난 사람들은 달랐다. 자신이 처한 곳에서 열심히, 순수하고 겸손하게 '빛'을 찾고 있었으며 숭산 큰스님의 가르침에 따라 열심히 수행하고 있었다.

어느덧 어둠이 짙게 깔렸을 즈음 한 미국인 스님이 일어나서 다음과 같이 말했다.

"매년 여름과 겨울에 3개월씩 집중 수행하는 프로그램이 있습니다. 안거라고도 합니다. 특히 한국의 '신원사'라는 절에서 하는 겨울 안거 프로그램은 집중 수행을 하고 싶은 여러분에게 아주 좋을 것 같습니다. 관심 있는 사람은 신청하면 참여할 수 있습니다."

나는 그 말을 듣자마자 바로 신청원서를 썼다. 이번 겨울은 놓쳤고 내년 겨울 프로그램이었다. 당시 나는 대학원 1학년 신학기였는데 공부를 잠시 쉬는 것쯤은 아무것도 아니었다. 좋다. 내년 1년은 휴학을 하자. 공부보다도 진리를 찾는 것이 더 급하다.

다음날 아침, 새벽예불에 참가하고 난 뒤 우리는 법당에 앉아 큰스님을 기다리고 있었다. 전날 밤, 대부분 사람들은 집으로 돌아가고 젠센터에서 생활하는 사람들과 스님들, 한 20여 명이 자리에 앉아 있었다. 나는 너무 흥분해서 온몸이 떨렸다. 드디어 큰스님을 더욱 가까이서 뵙는구나.

드디어 큰스님이 들어오셨다. 우리는 모두 일어나 큰절을 세 번 올렸다.

나는 당시 맨 앞줄에 앉아 있었는데 숨조차 제대로 쉴 수 없었다.

맨 처음 가까이서 보는 큰스님의 얼굴.

나는 여러 사람을 만나보았지만 그런 피부는 처음 보았다. 도저히 63세 노인의 얼굴이라고 느껴지지 않았다. 입술 끝이 살짝 말려 올라간 게 완전히 부처님 얼굴이었다. 여태껏 살아오면서 그런 얼굴을 본 적이 없다. 세계 곳곳을 여행했고 수많은 사람을 만났다. 그러나 그렇게 평온한 얼굴은 처음이었다. 행복이나 슬픔 같은 감정이 들어오기 전의 상태 같았다. 눈은 보석처럼 맑고 깊었다. 그의 눈을 보면서 저것이 우주라고 생각했다. 무엇이든 담을 수 있는 넓은 우주.

새벽이라 우리의 얼굴은 모두 부스스했지만 큰스님의 얼굴은 너무 맑았다. 나는 나중에 큰스님께서 매일 새벽 두 시에 일어나신다는 것을 알았다. 그리고 방에서 매일 아침 혼자서 1천 배를 하신다는 것도 알았다. 무려 30여 년 이상을 그렇게 해오셨고, 새벽 무렵에 큰스님 방을 지날 때면 창문 커튼 너머 그가 절하는 모습이 그림자로

숭산 큰스님이 미국에 처음 세운 절. 로드아일랜드에 있는 프라비던스 젠센터(홍법원)의 겨울

왔다갔다하는 모습을 볼 수 있다고 한다.

우리는 큰스님과 함께 108배와 염불수행을 차례로 했다. 염불수행을 하는 큰스님의 목소리는 맑고 크고 청아했다. 그것은 인간의 목소리가 아니었다. 그의 몸에서 풍겨져 나오는 에너지는 한 마리 큰 호랑이 같았다. 염불이 끝나고 우리는 각자 자리로 돌아가 면벽하고 참선을 했다. 참선하는 40여 분 동안 나는 마음을 차분히 집중하려 했으나 도저히 그럴 수가 없었다. '지금 이 순간 내가 세계에서 가장 훌륭한 선사와 함께 참선을 한다'는 흥분 때문이었다.

참선이 끝나고 우리는 다시 돌아앉았다. 큰스님께서 간단한 법문을 하셨다.

참선이란 특별하거나 어려운 것이 아닙니다. 우리의 말, 생각, 행동이 하나가 되는 것입니다. 일반적으로 우리가 생활하면서 가만히 보면 마음과 몸이 따로 놉니다. 먹을 때, 잘 때, 걸을 때 우리 몸은 먹고 자고 걸을지 몰라도 마음은 끊임없이 따로 움직입니다. 참선 수행을 하면 몸과 마음이 완벽하게 하나가 됩니다. 그때 이미 여러분은 세계 평화를 경험하는 것입니다. 모든 사람들이 각자의 평화를 이룰 때 그것이 세계 평화입니다. 그러나 이 세상을 보면 많은 사람들이 말로는 세계 평화를 외치지만 행동은 그렇지 않습니다. 옛날 학자들은 말과 행동이 하나였습니다. 요즘 학자들은 진리와 정의, 평화, 도덕에 대해 얘기하지만 그들 마음속에는 돈과 명예에 대한 욕심이 있고 이에 따라 행동하기 때문에 학생들은 그것을 믿지 않습니다. 정치가들, 종교인들, 사회 지도자들도 마찬가지입니다. 그들은 모두 평화를 얘기하지만 그들의 행동은 평화를 하겠다는 사람의 행동이 아닙니다. 여러분들이 수행을 하면 그것이 진정으로 이 세계를 돕는 것입니다. 지금은 여러분이 잘 이해가 안 될지도 모릅니다. 그러나 상관없습니다. 나는 누구인가, 나는 어디서 났으며 죽으면 어디로 가는가……. 이 질문을 붙잡고 '오직 모를 뿐……' 하는 마음을 갖고 열심히 수행하십시오. 그러면 모든 생각이 끊어지고 집착이 사라집니다. 생각 이전의 본성으로 돌아올 수 있습니다. 말과 행동이 하나가 됩니다. 그것이 조화이고 평화입니다. 열심히 수행 정진하는 여러분들의 모습을 보니 자랑스럽습니다.

이어서 큰스님과 함께 아침 발우공양이 있었다. 현미밥에 김치, 깍두기, 김, 땅콩버터, 과일, 빵, 두유 등을 각자 네 개의 대접에 담아 먹었다. 나중에는 그릇에 묻어 있는 것까지 물로 씻어 먹는 모든 과정이 완벽한 침묵 속에서 행해졌다. 먹는 것도 참선의 하나였다. 공양이 끝나고 큰스님은 법당을 떠나셨다.

다른 사람들도 하나 둘씩 자리를 떴지만 나는 한참을 법당에 앉아 있었다. 어린 시절 학교 다닐 때 생각, 대학에 들어와 학생운동에 열중했었던 생각, 그리고 키르케고르와 쇼펜하우어에 심취했던 시절, 세계여행…… 지난 일들이 주마등처럼 스쳤다. 오직 진리를 찾고 싶다는 강렬한 열정 하나로 하얗게 새웠던 그 숱한 밤들, 아! 그 고통의 시간이 이제야 끝나는가……. 나는 행복했다. 이제야 길을 찾았다는 생각에 울컥 눈물까지 났다.

잠시 후 지도법사님이 나를 부르셨다.

이곳에 도착하자마자 큰스님을 개인적으로 뵙고 싶다고 면담 신청을 해놓았는데 운좋게도 기회가 닿은 모양이었다. 나는 너무 가슴이 두근거렸다. 심장이 마구 뛰었다. 숭산 큰스님이야말로 나의 마지막 스승이시다. 그는 살아 있는 부처님이시다. 수십 개의 질문이 머리를 스쳤다. 무엇부터 여쭤야 하나.

마침내 그의 방 안으로 들어갔을 때 그는 얼굴에 하나 가득 웃음을 띠고 아주 편안한 자세로 앉아 계셨다. 세 번 큰절을 마치고 무릎을 꿇고 앉았다.

내가 너무 어려워하면서 안절부절못하는 모습을 읽으셨는지 '이리 가까이 다가와 앉으라'고 하셨다. 나는 그가 동양 사람이기 때문에 아주 무게를 잡고 앉아 계실 줄 알았다. 당시 미국인 불교 신자들 중에는 일본 불교를 믿는 이들이 많았는데 나는 친구들로부터 일본 선사들은 아주 엄격하고 권위적이기 때문에 개인적으로 대하기가 무척 어렵다는 말을 듣고 있었던 터였다. 그래서 나는 비록 큰스님께서 대중들 앞에서는 따뜻하고 다정다감해 보여도 개인적으로 뵐 때는 무척 어려우리라 생각하고 있었다. 그런데 내가 생각했던 것과는 완전히 딴판이었다.

나는 가까이 다가가 앉았다.

"오…… 안녕하세요? 수행은 언제부터 하기 시작했어요?"

"두 달 전에 큰스님 강의를 하버드 대학에서 듣고 바로 케임브리지 젠센터로 이사했습니다. 그곳에서 사람들과 함께 수행하고 있습니다. 요즘 참선수행에 아주 관심이 많습니다."

"오! 그래요. 아주 반가운 일입니다. 무슨 일을 하시지요?"

"하버드 대학원에 다니면서 비교종교학을 공부하고 있습니다. 특히 불교와 기독교를 접목하는 연구에 관심이 많습니다."

"아주 재미있겠네요. 그런데 당신은 삶에 대해 무엇을 알고 계시지요?"

갑작스런 질문에 말문이 막혔다. 아무 말도 할 수 없었다. 그런 질문은 처음 받아보았기 때문이다. 내가 머뭇거리자 그는 마치 손자를 대하는 할아버지처럼 크게 웃었다.

"혹시 소크라테스를 공부한 적이 있어요?"

"예. 예일 대학에서 철학을 공부할 때 그의 책을 많이 읽었습니다."

"나 역시 대학을 다닐 때 소크라테스는 내가 아주 존경하는 철학자 중 한 사람이었답니다. 그의 가르침은 아주 단순했지요. 매일 아테네 시장 거리를 걸으면서 만나는 사람마다 언제나 이렇게 말했습니다.

'너 자신을 알라.'

이것이 그의 가르침의 전부였습니다. 그 이상 그 이하도 아닌, 이론도 없고 설명도 없이 오직 너 자신을 알라고 외치고 다녔지요. 그러던 어느 날 한 제자가 이렇게 물었습니다.

'그러는 선생님은 선생님 자신을 아십니까?'

그러자 그는 '나 역시 나를 모른다. 그러나 나는 이 내가 모른다는 사실을 알고 있다' 고 대답했습니다. 무슨 말인지 알겠어요?"

"예. 아주 재미있습니다."

"좋아요. 그럼 내가 당신한테 하나 묻겠습니다."

큰스님은 잠시 뜸을 들인 뒤 이렇게 물었다.

"당신은 누구세요?"

나는 순간 당황했지만 곧 입을 열었다.

"제 이름은 폴입니다."

"그건 당신의 몸의 이름입니다. 누군가, 즉 부모님께서 당신에게 주신 것입니다. 나는 당신의 진짜 이름을 알고 싶은 겁니다."

"……."

"올해 몇 살이에요?"

"스물여섯 살입니다."

"그것 역시 당신 몸의 나이입니다."

큰스님은 나의 무릎을 탁탁 치시며 이렇게 말씀하셨다.

"당신의 몸은 당신이 아닙니다. 나는 당신의 진짜 나이를 알고 싶어요."

나는 완전히 할말을 잃었다. 그동안 살아오면서 그 누구도, 예일 대학과 하버드 대학의 어떤 교수님도 나에게 그런 질문을 하지 않았다. 나는 큰스님의 질문에 대답을 할 수 없었다. 아니, 제대로 입을 열 수가 없었다.

큰스님은 아주 재미있다는 듯 크게 웃으셨다.

"아니, 학생은 하버드 대학에 다니는데 당신 자신을 모른단 말이에요? 그거야말로 큰일이군요."

정말 부끄러웠다. 너무 충격을 받았다. 그리고 의문이 생겼다.

'도대체 이건 무슨 가르침일까? 완전히 다른 세계야, 다른 코드 같아.'

안과 밖이 완전히 뒤집히는, 그동안 내 마음속에 가지고 있었던 생각과 신념들이 한꺼번에 뒤집히는 그런 경험이었다. 나는 얼굴이 벌게져 아무 말도 못했다.

"내가 무엇을 얘기하는지 이해하겠어요?"

"예에…… 아니, 아니오…… 잘 모르겠어요."

그러자 큰스님은 만면에 웃음을 가득 띠고 내 머리를 손가락으로 짚으며 "당신의 컴퓨터는 너무 복잡하군요. 너무 성능이 좋아요"라고 하셨다. 잠시 후 차나 한잔 하자며 녹차를 내놓으셨다.

침묵 속에서 우리는 차를 마시기 시작했다.

갑자기 큰스님께서 물었다.

"자, 이제 알겠어요?"

온몸에서 식은땀이 났다. 큰스님은 지금 뭔가를 묻고 있는데 너무 간단한, 마치 어린이들에게나 하는 질문을 저토록 평온하고 깨끗하고 친절한 미소로 묻고 있는데, 나는 완전히 넋이 나간 것이다.

에머슨, 쇼펜하우어, 플라톤, 카뮈, 키르케고르, 소크라테스를 모두 공부했고 철학에 대해서는 모르는 것이 없다고 자부하고 있었는데 정작 '나'에 대해서는 아무것도 모르고 있지 않은가.

나는 누구인가. 나의 진짜 나이는 몇 살인가.

나는 대답할 수 없었다.

그저 방바닥만 쳐다보고 있었다. 잠시 후 큰스님의 얼굴을 올려다보았다. 큰스님은 자애로운 눈빛으로 나를 바라보고 계셨다. 그리고 내 마음을 꿰뚫어보기라도 한다는 듯 이렇게 말씀하셨다.

"질문이 있으면 무엇이든 해보세요."

기다렸다는 듯 나는 입을 열었다.

"큰스님께서는 '모르는 마음'(don't know mind)을 강조하셨는데 그것이 무슨 뜻인지 여쭙고 싶습니다. 저는 그동안 학교에서 공부를 하면서 뭔가 계획을 해야 하고, 뭔가 생각을 해야 하고, 뭔가 이해해야 한다고 배웠습니다. 그런데 우리 삶에서 모르는 마음을 어떻게 가지며 그것을 어떻게 지킵니까?"

"생각할 때 생각할 뿐, 들을 때 들을 뿐, 볼 때 볼 뿐, 먹을 때 먹을 뿐, 그게 다입니다. 생각할 때 생각하세요. 생각하는 시간이 아니면 생각하지 마세요. 먹을 때 오직 먹으면 됩니다. 가장 중요한 것은 이 생각이 어디서 오는 것이냐, 누가 만든 것이냐 하는 것입니다. 그것을 이해하지 못하면 오직 '모르는 마음'을 갖고 똑바로 가십시오. 이 모르는 마음이야말로 어떤 철학, 하느님, 부처님, 하버드 대학보다 나은 겁니다. 모르는 마음을 간직하면 당신의 진정한 길이 나타날 것입니다."

"그런데 저는 그런 모르는 마음을 찾을 수 없어요."

"나는 이미 당신에게 보여줬어요. 다시 묻겠습니다. 당신은 누구세요?"

나는 다시 말문이 막혔다. 그리고 고개를 저었다.

"잘…… 모르겠습니다."

큰스님은 순간 "옳지" 하고 소리를 치셨다.

"바로 그겁니다. 그런 마음을 가지세요. 그러면 시간이 지나면 뭔가 밝아질 것입니다. 생각할 때 생각하세요. 생각하는 시간이 아닐 때 생각할 필요는 없습니다. 머릿속으로 따지지 마세요. 오케이?"

"예."

"원더풀, 원더풀. 좋아요, 아주 좋아요."

(나중에 알게 된 사실이지만 큰스님께서 가장 좋아하시는 단어가 '원더풀'이었다.)

하버드란 동굴

큰스님과의 면담이 끝난 뒤 짐을 꾸려 다시 보스턴으로 향했다.

보스턴으로 가는 버스 안에서 나는 오직 수행해야 한다는 생각뿐이었다. 오직 수행하고 싶은 마음뿐이었다. 이제 책은 더이상 관심이 없어졌다. 글쓰기나 사람들과의 대화에도 관심이 없어졌다. 만약 내 본성을 모른다면, 진정한 나를 모른다면 그 모든 것은 나와 상관없는 것들이었다. 그 모든 철학 책을 다 어디에 쓸 것인가. 그것으로부터 얻은 그 수많은 지식을 다 어디에 쓸 것인가.

나는 버스 창밖을 내다보았다. 창밖에 비친 내 모습. 여전히 혼란스럽긴 했지만 뭔가 결연해 보였다. 나는 이미 내 남은 인생 동안 숭산 큰스님의 제자가 되기로 결정했다. 스님이 되느냐, 되지 않느냐는 나중 문제다. 큰스님은 마치 마음의 병을 고치는 침술사처럼 내가 어디에 병이 있는지 진맥만 짚어보고도 아시는 것 같았다. 내 눈만 보고도 나에 대한 모든 것을 알고 있는 듯했다.

그동안 나에게 그런 확신을 갖게 한 사람은 아무도 없었다. 예리하고 직접적이면서도 따뜻했다.

나와 그의 인연은 무엇일까. 어떤 종류의 것일까. 나의 운명은 어떻게 될까. 더군다나 그는 내 나라 사람도 아닌, 잘 알지도 못하는 나라 한국에서 태어난 외국인 아닌가. 혹 내가 뭔가 길을 잘못 들어서고 있는 것은 아닐까.

의심과 의혹은 사라지지 않았다. 그러나 분명한 것은, 아무리 생각하고 또 생각해보아도 내 남은 인생은 이제 그의 가르침에 따라 살아야 한다는 생각뿐이었다. 그것은 누가 강요하는 것이 아니라 내 마음속으로 자연스럽게 번지는 생각이었다. 그 외에 더 무엇이 나를 만족시킬 것인가.

그때부터 나는 공부에 완전히 흥미를 잃었다. 교수님들의 가르침이 더이상 귀에 들어오지 않았다. 이건 시간 낭비야, 시간 낭비. 이런 생각만 자꾸 일었다.

나는 그전에 정말 열심히 공부하는 학생이었다. 수업 때마다 교수님들의 말 하나하나를 놓치지 않고 듣고 노트하는 열성적인 학생이었다. 그런데 숭산 큰스님과의 만남 뒤에 접하는 교수님들의 강의는 더이상 흥미가 없었다. 열심히 교수님들의 생각을 받아 적는 친구들이 오히려 로봇 같아 보였다. 왜 남의 지식을 복사하는 거야. 우리는 정말 우리 자신의 생각이 뭔지 알아야 하잖아.

교수님들도 마찬가지였다.

'진리란 누구누구에 따르면 뭐뭐뭐고 철학이란 누구누구가 말한 바에 따르면 이러이러한 것이고…….'

오른쪽 옆자리에 앉아 있는 친구를 바라보았다. 그는 교수님의 얘기를 그대로 적고 있었다. 왼쪽 친구도 마찬가지였다. 앞에 앉은 친구도 마찬가지였다. 뒷자리 친구도 보나마나 마찬가지일 것이다. 미국에서 아니 세계에서 가장 똑똑하다고 자부하는 이 친구들이 단지 지식 복사기에 불과한 것 아닌가. 베끼고 베끼고 또 베끼는 아주 성능 좋은 복사기에 다름 아닌 것 아닌가.

마음이란 도대체 무엇인가. 진리란 무엇인가. 생각이란 무엇인가……. 그것을 찾기 위해서는 다른 누군가의 생각이 필요한 게 아니라 내 경험이 필요하다. 여태까지도 그런 가르침을 찾기 위해 책을 뒤지고 교수님들을 찾아다녔지만 도움이 안 되었지 않은가. 그런 식으로는 미래도 마찬가지일 것이다.

플라톤은 인간들이 동굴에 갇혀 있다고 했다. 그리고 벽에 비친 그림자를 보고 진짜 자기 모습이라고 믿는다고 했다. 큰스님을 만난 뒤 나는 하버드야말로 그 동굴이라는 생각이 들었다. 교수님들은 칠판에 그림자를 그리고 있을 뿐이었다. 그것도 실제의 그림자가 아니라 누군가 그려놓은 다른 그림자를 그리고 있을 뿐이었다.

나는 그 1년 내내 하버드를 억지로 다녔다. 그리고 마침내 90년 5월에 기말숙제를 모두 제출하는 동시에 1년 동안 휴학계를 냈다. 캠퍼스를 걸어 나오는 나의 발걸음은 한없이 가벼웠다.

한국에 대한 기억

나는 학교를 휴학하자마자 공사판으로 뛰어들었다. 공사판 일은 내가 여름방학 때마다 간혹 했던 아르바이트일이라 익숙했다. 우리 부모님은 대학 1학년때 내 등록금을 보조해주긴 하셨지만 워낙 형제들이 많아 내게 계속 등록금을 대주기란 불가능한 일이었다. 우리 형제들은 대부분 대학에 들어가자마자 혼자서 돈을 벌며 학교를 다녔다.

나는 그동안 식당 종업원, 출판사 일, 사무실에서 자료 정리 · 복사일, 공사판에서 벽돌을 짊어져 나르고 페인트칠 하는 일 등을 방학 때마다 하면서 등록금을 벌었다.

그런데 이제는 한국에 가기 위한 돈을 벌기 위해 공사판 일을 다시 시작한 것이다. 그리고 매일 아침 저녁으로 케임브리지 젠센터에서 수행을 했다. 나의 수행은 점점 더 깊어졌다. 일 때문에 아주 피곤했지만 곧 한국에 가서 집중 수행을 할 수 있다는 희망과 꿈으로 부풀어 있었다.

수행을 열심히 하는 한편, 시간이 날 때마다 서점으로 달려가 한국에 관련된 책을 읽기 시작했다. 한국의 문화와 역사를 알고 싶었다. 그런데 놀랍게도 한국에 관한 책은 그리 많지 않았다. 읽을 만한 책도 없었거니와 겨우 손에 들어오는 책들은 한국 전쟁과 관련된 아주 오래된 책들뿐이었다.

돌이켜보면, 나는 한국 불교와 숭산스님의 가르침을 만나기 전에 한국에 대해 오직 두 가지 경험만을 했다. 80년대 중반 예일 대학을 졸업할 때까지만 해도 한국에 대해 아무것도 몰랐다. 예일 대학은 미국에서 일곱번째로 가난한 뉴헤이븐에 자리잡고 있다. 그곳에는 원래 백인들이 많이 살고 있었지만 어느 틈엔가 백인들이 모두 떠나 가난한 흑인들만이 사는 슬럼이 되어버렸다. 예일 대학 교수들 중에는 뉴헤이븐을 떠나 먼 곳에서 출퇴근하는 분도 계셨다. 이처럼 완전히 죽은 도시였기 때문에 활기도 없었고 이렇다 할 가게도 많지 않았다.

그런데 언제부터인가 작고 깨끗한 구멍가게와 식료품점들이 눈에 띄기 시작했다. 간판도 아주 선명하고 깨끗했으며 무엇보다 바깥에 내놓은 과일, 야채, 식료품을 비롯한 생필품들이 신선하고 깨끗했다. 한국인들이 운영하는 가게들이었다.

슬럼가는 밤이 되면 위험하기 때문에 함부로 나다니지 못한다. 따라서 어둠이 내리기 시작하면 상가들은 셔터를 내리기 바쁘다. 그런데 유독 한국 가게만큼은 밤늦게까지 문을 열었다. 어떤 가게들은 24시간 영업을 하는 곳도 있었다. 자정이 넘게까지 도서관에서 공부를 하다 배가 출출하거나 혹은 파티를 하다 맥주가 떨어졌거나 했을 때 우리는 자연스럽게 '한국 가게에 가면 된다'고 생각했고 새벽 한 시건 두 시건 그들은 우리의 기대에 어긋나지 않게 문을 열어놓고 있었다.

어느 날 밤, 기말고사를 준비하다 문득 맥주 생각이 나 친구들 몇몇과 함께 학교 앞에 있는 한국 슈퍼를 찾은 적이 있었다. 주인인 듯한 남자와 한 젊은이가 과일과 야채를 다듬고 있었는데 열심히 일하는 모습이 아주 인상적이었다.

그 모습이 하도 아름다워서 나는 주인 남자에게 저 젊은이가 누구냐고 물었다. 그는 고등학교에 다니는 아들이라고 말하면서 아주 자랑스러워했다. 그렇게 늦은 시간인데도 묵묵히 열심히 아버지의 일을 돕는 아들의 모습이 그렇게 대단해 보일 수가 없었다. 미국에서는 상상도 못할 일이다.

한국 가게는 또 약속을 잘 지키는 것으로 유명했다. 그들은 영어를 잘하지 못했으면서도 손님들이 찾는 물건이 없으면 손짓 발짓을 섞어가며 미안해 어쩔 줄을 몰라했다. 그러면서 "내일 반드시 그 물건을 갖다 놓겠다"고 약속했고 어김없이 그 약속을 지켰다.

나는 미국에서 그렇게 친절하고 따뜻한 정이 넘치는 가게를 본 적이 없었다. 나뿐 아니라 예일 대학 교수, 학생들이 모두 한국 가게 단골들이었고 한국 가게는 나날이 번창했다.

그 후 예일 대학을 졸업하고 뉴욕에 있는 변호사 사무실에서 일하고 있을 때였다. 1987년 5월 어느 날로 기억되는데 나는 그날 〈뉴욕 타임스〉를 보다 1면 중앙에 실린 사진을 보고 깜짝 놀랐다. 당시는 노태우 대통령의 6 · 29 선언이 나오기 직전으로 한국에서의 데모가 극에 달했던 시기였다.

중무장을 한 두 명의 경찰이 경찰봉으로 누군가를 가로막고 있었다. 상대편은 다름아닌 스님이었다. 당당하면서도 맑고 순수한 얼굴을 한 스님은 경찰의 제지에도 아랑곳하지 않고 자신이 들고 있던 우산을 앞세워 앞으로 나아가려 하고 있었다. 그런데 중무장을 한 경찰들의 얼굴은 두려움으로 가득 차 있었던 반면 스님은 아무것도 가진 것 없이 겨우 우산 하나뿐이었는데도 그렇게 당당한 표정일 수가 없었다. 누가 막는 자이고 누가 제지를 당하는 쪽인지 얼핏 분간이 안 되었다.

나는 그 사진이 너무 인상적이어서 그것을 오려 네 배로 확대복사해 친구들에게 나눠주기까지 했다. 당시 미국의 신문에는 한국의 데모 소식이 많이 실렸었다. 그때까지만 해도 나는 한국 상황에 대해 잘 알지 못했다. 비록 광주항쟁을 고등학교 때 신문을 통해 알고는 있었지만 — 미국의 신문에는 전세계 도처에서 일어나는 내전이 보도된다 — 내게는 광주항쟁도 그것들 중 하나였다. 나 같은 외국인들의 눈에는 광주항쟁이 그저 남아프리카나 중남미의 시위와 별다를 게 없었다.

그런데 나는 어느 데모대나 시위대 사진들 중에서 그날 1987년 5월 무장한 경찰에 맞서 싸우던 그토록 당당한 스님의 사진을 본 적이 없었다. 그 승려의 위엄과 두려움 없는 표정에 완전히 반해버렸다. 그렇다고 얼굴에 적의가 들어 있었던 것이 아니었다. 당당함, 그 자체였다. 정작 온몸을 무장한 경찰들이 멈칫하고 있었다.

불교에 대해 관심을 가지기 시작하면서도 먼저 접했던 책들이 일본 불교 책이었다. 하버드 대학 도서관이나 대형서점에도 한국 불교에 관한 책은 전무했다. 장서보유고가 세계적인 하버드 대학의 도서관만 해도 그 당시 일본 불교에 관한 책이 5천여 권, 티벳 불교에 관한 책이 2천여 권에 달하는데 정작 한국 불교에 관한 책은 숭산 큰스님의 영어법문집 다섯 권 정도가 전부였다. 원효 · 서산 · 경허대사 같은 한국의 위대한 고승들의 책은 하나도 없었음은 물론이다. 지금은 상황이 많이 나아졌겠지만 아직도 만족할 만한 수준은 아니라고 본다. 그러다 숭산 큰스님을 만나면서 비로소 한국과 한국 불교에 대해 관심을 갖게 된 것이다.

처음 들은 한국말은 아마도 케임브리지 젠센터에서 들었던 한국말 염불이었을 것이다. 뜻도 하나도 모르는 말을 발음기호만 보고 따라했지만 내 가슴에 깊은 여운을 남겼었다.

그러던 내가 케임브리지 젠센터에서 한국인 한 분을 아주 가까이서 뵐 기회를 만났는데 그분은 젠센터에서 우리와 함께 생활하시던 법수스님이라는 분이다. 법수스님은 하버드에 입학할 준비를 하고 계셔서 내가 영어를 가르쳐드리기도 하면서 본격적으로 친해졌다.

그 스님은 아주 신심이 두텁고 친절하고 천진한 분이었다. 공부도 열심히 했다. 어느 날 스님이 출타한 것을 모르고 스님의 침실에 들어갔다가 나는 깜짝 놀랐다. 어쩌면 남자가 사는 방이 그렇게 깨끗하고 깔끔한지……. 그렇게 정리를 잘하고 사는 남자는 처음 보았다. 성격도 깔끔한 분이었다.

방을 나오다 벽에 걸려 있는 큰 달력 하나에 눈길이 멈췄다.

한국의 사찰들이 사진으로 실린 달력이었다. 열두 장에 담긴 한국의 사찰들은 아주 아름다웠다. 처음으로 한국의 사찰들을 사진으로 접한 것이었다. 나중에 알고 보니 해인사, 송광사, 수덕사, 운문사, 쌍계사 등 한국의 유명 사찰들이었다. 한 장 한 장 달력을 넘기면서 받았던 감동을 지금도 잊을 수가 없다. 페이지를 넘길 때마다 펼쳐지는 아름다운 사진에 나는 벌린 입을 다물지 못했다.

파란 하늘을 배경으로 부끄러운 듯 얹혀 있는 기와 지붕, 아름답고 부드럽게 떨어지는 건물의 선, 아침 안개 사이로 보일 듯 말 듯 엿보이는 절집……. 아 저곳에 한번 가보았으면……. 내 눈으로 저 아름다움을 꼭 한번 확인하고 싶다는 욕심이 생겼다. 마음 한 켠에선 반드시 그런 기회가 오리라는 확신이 피어올랐다. 열두 장의 사진이 끝나자 너무 아쉬웠다. 더 많은 사진이 보고 싶었다.

그날 저녁, 법수스님에게 내가 방안에 있는 한국 사찰 달력을 보고 큰 감명을 받았다고 얘기했더니 아주 좋아하시면서 사찰 사진집 한 권을 건네주었다. 인쇄상태는 좋지 않았지만 역시 감명 깊게 보았다. 그런데 그 책의 글이 모두 한국말이어서 갈증만 더 일어났다.

서점과 도서관에 가서 한국 문화와 관련된 책을 뒤졌다. 그런데 만족할 만할 책을 구할 수가 없었다. 미국에는 많은 동양문화가 소개되어 있다. 그런데 대부분 일본이나 중국 문화이다.

당시만 해도 한국 미술이나 한국 문화에 대한 소개는 전혀 없었다. 나는 좀 당혹스럽기도 했고 실망감도 들었다. 이렇게 한국에 대한 것을 찾을 수가 없다니. 더군다나 한국 불교에 대한 것은 전무하다시피 했다.

오직 이 달력? 이 사진집? 이 정도뿐인가.

얼른 납득이 되지 않았다. 만약 내가 젠센터에 와서 그것도 한국스님이 계셨기에 망정이지 그 달력을 못 보았다면 한국 사찰에 대한 이미지는 내 머릿속에 영원히 없었을 것 아닌가.

나는 법수스님에게 한국 사찰에 대한 사진을 더 찾아내라고 졸라

ⓒ김홍희

대면서 한국 문화와 역사에 대해 설명해달라고 했다. 법수스님은 나름대로 열심히 나를 가르치려 했지만 영어가 서툴렀던 관계로 그다지 도움이 되지 않았다.

그러나 나는 법수스님의 삶을 통해 살아 있는 한국 불교의 생생한 경험을 했다. 그것은 바로 그의 가난과 청빈의 삶이었다. 법수스님의 짐이라곤 간단한 걸망 하나가 전부였다. 옷도 한두 벌에 불과했고 돈도 없었다. 그런데도 스님의 얼굴은 아주 맑았다. 스님은 누구에게나 친절했으며 뭐라도 생기면 홀라당 남에게 다 줘버렸다.

나는 점점 더 불교에 관심을 갖게 되어, 젠센터에 살면서 수행을 하게 되었다. 사실 법수스님을 만나기 전까지 스님이란 직업은 좀 별난 사람들이 하는 일이라고 생각했다. 스님은 카톨릭 수사나 신부와는 완전히 다른 세계의 사람, 미국인의 눈으로 보면 좀 히피 성향의 사람들이 스님이 된다고도 생각했을 정도였다.

그러나 나는 케임브리지 젠센터에서 법수스님을 통해 승려 생활을 보다 가까이 보면서 생각이 많이 바뀌게 되었다. 무소유이지만 모든 것을 소유한 것처럼 살아가는 저 충만함, 저 여유로움, 나는 점점 불교 수행자의 삶에 대해 관심을 갖기 시작했다. 그러면서 아 스님으로 사는 것도 아주 좋겠구나, 하는 생각을 하기 시작한 것이다.

어느 날 밤이었다.

화장실에 가려고 나왔다가 법당에서 흘러나오는 목탁소리를 따라 홀린 듯 소리를 쫓아갔던 적이 있었다. 그때가 새벽 두 시인가 세 시였던 한밤중이었는데, 법수스님이 혼자 법당에 앉아 목탁을 두드리며 염불을 하고 계신 것이 아닌가.

나는 문간에 기대 한참 동안이나 그 모습을 바라보고 서 있었다.

고요한 어둠 속에서 청아하게 들려오는 목탁소리와 염불소리.

그 소리를 듣는 것만으로도 내 마음속에 남아 있던 온갖 찌꺼기들이 다 사라지는 것 같았다. 태초의 어디에선가 울려퍼지는 원시의 목소리가 물결을 타듯 올라갔다 내려갔다 했다. 신비스럽기도 하고 좀 슬프기도 했다. 오직 두 개의 양초 불빛에 기대어 염불하며 앉아 있는 스님의 모습에서 원형질의 순수함이 묻어났다.

그의 염불소리는 나를 타임머신에 태워 고대의 세계로 안내하는 듯했다. 내가 태어나기 이전의 원시적인 공간으로 나를 데려가는 듯했다.

그때 그 감정을 뭐라고 표현할 수 있을까. 진한 향수랄까. 내가 태어났으나 기억하지 못하는 어머니 자궁 같은 세계. 그런 세계로 내 몸이 걸어 들어가는 것 같은 느낌이 들었다. 그곳은 한국도, 미국도, 아프리카도 아닌, 어쩌면 이 지구에는 없는 어떤 별에서의 여행자 같은 느낌. 언제인지, 어느 곳인지 도대체 이름 붙이거나 설명할 수는 없는 그런 곳으로 내가 빨려 들어가는 것 같았다. 그렇지만 아주 친숙하고 낯익은 곳. 그러면서도 너무 신비한 곳 말이다.

방으로 돌아와보니 한 시간 가량을 그 소리에 취해 서 있었던 것이다. 나는 그러고도 다음날 아침예불을 위해 기상 목탁소리가 울려퍼질 때까지 잠을 이루지 못했다.

그 뒤 몇 차례 나는 법수스님의 새벽예불에 초대받지 않은 관객이었다. 그런 날 밤이면 잠자리에 돌아와서도 어김없이 잠을 제대로 이룰 수가 없었다. 그리고 다음날 반드시 법수스님을 찾아가 어제 하신 염불이 무엇이냐 하면서 이것저것 여쭈었다.

'달마 게이트'(Dharma gate)라는 말이 있다. 자기 자신을 불가의 세계로 이끈 안내자라고 할까. 부모님은 내 몸을 주신 분이라면 달마 게이트는 내 정신을 새로 태어나게 문을 열어준 분이다. 숭산 큰스님이 법, 즉 달마 그 자체라면 법수스님은 나에게 달마 게이트였다. 부처님께서는 누구든지 달마 게이트는 잊지 못한다고 했다.

나는 작년에 지리산 상선암에서 백일기도를 하던 중 그 법수스님이 경상도 어느 절에선가 돌아가셨다는 소식을 듣고 며칠 밤낮을 눈물로 지샌 적이 있다.

그 맑고 고운 얼굴을 다시는 볼 수 없다니……. 오직 극락왕생만을 빌 뿐이다.

김치 한입 베어물고

미국 내에 있는 숭산스님의 모든 젠센터는 순전히 한국식으로 운영된다. 식사 때마다 김치 깍두기는 물론 된장찌개, 두부, 김 등 한국 음식이 많이 나온다. 물론 미국 음식도 나오지만 말이다. 일단 젠센터에 오는 사람들은 대부분 채식주의자인 탓도 있고 사찰에서는 술, 고기를 먹지 않기 때문에 채식 위주로 된 한국 음식은 정말 인기가 좋다. 특히 두부는 인기 '캡'이다. 식탁에 나오기 무섭게 동이 난다. 매일 옥수수차, 보리차를 마신다. 김치도 인기가 좋다. 김치는 매일 모자란다. 특히 라면에 먹는 김치 맛은 아주 일품이다.

내가 처음 김치맛을 보던 날. 나는 그때부터 김치와 완전히 사랑에 빠졌다. 맛보기 전에는 그 시큼한 냄새가 너무 싫었다. 그래서 감히 맛보기조차 꺼려했다.

케임브리지 젠센터로 처음 이사를 해서 도반들과 함께 밥을 먹는데 식탁에 김치가 나왔다. 나는 냄새 때문에 거들떠보기도 싫은데 다른 친구들은 너무 잘 먹는 거였다. 친구들은 나에게 한번 시도를 해보라고 재촉했다. 몇 번 망설이다 드디어 밥을 한 숟가락 가득 입에 넣고 김치 한 쪽을 입에 넣었다. 와! 그때 경험을 어떻게 표현해야 하나. 말로 설명할 수가 없다.

독자 여러분에게 김치에 대한 첫경험을 기억해내라고 하면 아마 자신이 없을 것이다. 워낙 오래 전부터 먹어온 것일 테니 그 기억을 떠올리기가 힘들 것이다.

그러나 나는 좀 다르다. 이미 성인이 다 된 다음에 맛본 것이라 그 느낌이나 그때 맛, 모든 것을 기억할 수 있다. 나는 수많은 나라를 다니면서 수많은 종류의 음식을 먹어보았다. (그중에서도 특히 인도 음식을 좋아했다.)

그런데 김치를 처음 먹었을 때의 경험은 말로 표현할 수 없는 강한 것이었다. 나는 김치를 한입 베어물고는 너무 맛있어서 그날 김치 한 접시를 다 비워버렸다. 그 뒤부터는 식사 때마다 김치를 먹었다. 친구들은 내가 김치에 완전히 중독이 되었다며 너무 많이 먹으면 배탈이 난다고 말릴 정도였다. 그럼에도 불구하고 나는 거의 매일 김치와 밥을 먹었다. 오히려 빵과 스프는 가끔 먹을 정도였다.

어느 날 법수스님은 '된장국'이라는 것을 식탁에 내놓았다. 김치에 이미 자신감이 붙어 있었기 때문에 된장국도 과감하게 시도했다. 그런데 이것도 역시 정말 맛있었다. 김치의 경험보다 더 독특한 것이었다. 김치가 강한 맛이라면 된장은 깊은 맛이라고나 할까. 독자 여러분들은 믿지 못하겠지만 나는 된장국을 먹으면서 마치 고향 음식을 먹는 듯한, 아주 낯익은 느낌을 받았다. 우리가 어릴 때부터 불렀던 동요를 듣는 것 같은 아주 오래되고 익숙한 습관 같은 것 말이다.

나중에 전생에 대해 얘기하겠지만 김치나 된장국의 맛은 나에게 새로운 경험이 아니라 기억 그 자체였다. 나는 한국 음식을 먹으면서 어서 빨리 한국에 가고 싶다는 생각뿐이었다.

부처님 머리에 담뱃재를 털고

나는 그해 여름 아주 열심히 수행했다.

다시 큰스님을 뵙고 싶었지만 잘 이루어지지 않았다. 그해 내내 큰스님은 한국에 계셨기 때문이었다.

나는 당시 숭산스님의 영어 법문집 두 권을 거의 외우다시피 열심히 읽었는데 하나는 이미 소개한《부처님 머리에 담뱃재를 털고》라는 책이었고 다른 하나는《오직 모를 뿐》(Only Don't Know)이라는 책이었다.《부처님 머리에 담뱃재를 털고》는 1979년에 미국에서 발간된 숭산스님의 영어 법문집으로 큰스님의 책으로서는 고전에 해당하는 책이었다.

하버드대에 다닐 때 마사토시 교수님으로부터 그 책을 받은 이후 큰스님을 만난 뒤에도 여러 번 읽었지만 그 무렵에는 아예 옆구리에 끼고 살았다. 많은 사람들은 그 책이 서양에 소개된 동양 불교 책으로는 가장 훌륭한 책이라고 입을 모은다. 이 책은 미국 사회에 불교를 전파하는 데 아주 큰 공헌을 한 책이며 보면 볼수록 의미가 새겨지는 책이다.

앞서도 언급했지만 대부분 불교책들은 부처니 마음이니 법문이니 생각이니 의식에 대해 '설명'을 하려고 한다.

그러나 큰스님은 설명을 하지 않는다. 큰스님은 석가모니 부처님의 말씀대로 '고통은 생각에서 온다'고 강조했기 때문에 책에서 설명을 해봐야 읽는 이로 하여금 더 많은 생각을 불러일으키고 그리하여 더 많은 고통을 가져온다고 했다. 더 많이 설명하면 할수록 그것은 오히려 불교 속에서 또 하나의 고통을 만들어내는 것이라고 했다.

대신 큰스님은 제자들이 큰스님에게 질문을 하는 바로 그 순간 제자의 마음속으로 들어가 부처님의 가르침을 통해 제자의 고통을 끌어내는 것이었다. 지금 우리의 마음이 어떠하다는 것을 설명하는 것이 아니라 바로 이 순간 이것이 우리의 마음이라는 것을 보여주는 것이다.

다시 말해 '진리' 혹은 '부처'란 이러이러한 것이라고 설명하는 것이 아니라 고통에 빠진 우리에게 자기 마음을 볼 수 있는 맑은 거울을 들이미는 것이다. 바로 이것이 너의 이 순간 마음이다.

그 맑은 거울이란 바로 큰스님의 깨달음의 거울이다. 혹독한 수행을 통해 그가 얻은 깨달음의 에너지를 우리에게 베푸는 것이다.

큰스님은 '마음 공부,' 오직 '마음 공부' 하는 것만이 진리를 깨닫게 하는 지름길이라고 강조하셨다. 요즘 사람들은 너무 많은 지식을 공부하기 때문에 책은 더이상 필요없다고 했다.

큰스님은 언제나 이렇게 말한다.

"지식이 아무리 많아도 소용없다. 눈을 감기 바로 직전, 죽는 순간에 아무리 1천 개의 박사 학위가 있어도 무슨 도움이 되겠느냐."

나는 그 여름 큰스님의 말씀을 새기다 보니 새록새록 감동이 넘쳐 흘렀다.

큰스님은 "내 말을 믿지 마라. 너 스스로 너 자신을 알아야 한다. 오직 수행하라. 나는 단지 여러분의 본 성품을 손가락으로 짚어주는 사람에 불과하다. 그것을 찾아줄 수 없다. 당신 스스로 찾는 것이다"고 말했다.

내가 가장 존경하는 쇼펜하우어조차도 이렇게 가르치지는 않았다. 그는 마음에 대해 '얘기' 하고 의식에 대해 '얘기' 하고 생각에 대해 '얘기' 하고 삶의 의지(Will)에 대해 언급했지만 자기의 가르침으로부터 독립해 그것을 어떻게 각자 자기의 것으로 만들 것이냐에 대해서는 단 한번도 말하지 않았다.

생과 사에 대해 완벽하게 설명했지만 그 진리를 어떻게 얻을 수 있는지에 대해서는 설명하지 않았다.

부처님은 이렇게 말씀하셨다.

"나의 가르침을 받아들이지 말라. 그것을 철저히 검토하여 그것의 진리를 재발견하라."

"나는 너희들에게 길을 보여주었다. 그러니 그 길을 따라가는 것은 너희들의 몫이니라."

부처님의 가르침은 부처 당신이 추구하던 깨달음으로 향하는 길을 설명하는 가이드북 같은 것이다. 엄밀하게 말해서 '불자'가 된다는 것은 부처를 하나의 신이 아닌 길잡이로, 깨달음의 상징으로 여기고 부처에게 귀의하는 것이다. 또한 하나의 도그마가 아니라 길

〔道〕인 그의 가르침, 즉 불법(佛法)에 귀의하는 것이다. 그리고 마침내는 그 공동체, 그 길을 따라 여행하는 동반자들의 집단에 귀의하는 것이다. 불교는 주인의 승낙 없이 억지로 문을 밀고 들어가려 하지 않으며 개종을 강요하지도 않는다. 불교에서는 그것이 아무 의미가 없기 때문이다.

큰스님은 항상 우리들에게 "내 말은 충분하지 않다. 여러분들이 '생각'을 하면 불교 경전이나 성경, 이 세상 진리를 가르친다는 모든 가르침은 악마의 말이 될 것이다. 하지만 모든 생각과 집착을 끊고 수행을 통해 '오직 모를 뿐'이라는 마음으로 돌아오면 모든 가르침, 불교 경전, 성경이 완벽히 그대로 진리가 될 것이다. 진리란 따로 있는 게 아니다. 바깥에서 지저귀는 새소리, 창 밖의 자동차소리, 얼굴에 스치는 바람소리 이 모든 것이 진리다. 우주는 언제나 항상 매순간 우리에게 훌륭한 법문을 준다. 말과 언어는 여러분을 가르칠 수 없다. 오직 수행, 수행하라"고 하셨다.

이 때문에 나는 모든 책을 한쪽으로 치우고 참선수행에 몰두했다. 책 없는 그의 가르침이야말로 내가 여태껏 받았던 어느 가르침보다 귀중한 것이었다.

드디어 서울로

드디어 한국에 갈 시간이 다 되었다.

학교를 휴학하고 한국 절에 가서 수행을 하겠다고 했을 때 부모님들은 (당연히) 펄쩍 뛰셨다. 그분들의 실망과 충격을 예상하지 못한 바는 아니지만 실제로 겪어보니 견뎌내기가 쉽지 않았다.

"왜 학교를 휴학했느냐. 그것도 1년씩이나. 뭐? 한국엘 가겠다고? 그것도 절에 가서 수행을 해야 하기 때문이라고?"

나는 하버드 대학원에 들어가자마자 거의 1년 넘게 젠센터에서 살았는데 부모님은 그것에 대해서도 늘 걱정을 하고 계셨다. 부모님은 늘 나의 결정을 존중하고 받아들여 주셨건만 그 부분만큼은 받아들이기 어려웠는지 역정까지 내시면서 꾸짖으셨다.

그분들의 마음을 충분히 이해하고 있었지만 납득시킬 수는 없었다. 부모님은 마침내 "1년 휴학까지는 이해하겠다. 그런데 왜 하필 한국, 그것도 절이냐"고 물어오셨다.

독자 여러분들이 좀 기분 나쁘게 생각하실지 모르겠지만 한국이 전세계에 알려진 것은 88올림픽 전후였다. 우리 부모님도 구세대이시기 때문에 한국에 대해 별로 아시는 게 없었다. 아니, 동양 전체에 대해 잘 모르고 계셨다. 그러니 내가 한국에 간다고 했을 때 마치 달나라나 화성이라도 가는 것처럼 놀란 표정을 하시는 것이었다.

우리 집안의 그 수많은 친 · 인척 중에서 오직 한 분만이 한국과 인연이 있었다. 그분은 외삼촌, 즉 내 어머니의 남동생이었다.

외삼촌은 군인으로 1950년 한국전쟁에 참전했었다. 그것도 한국에 주둔한 것이 아니라 일본에 머물면서 한국으로 무기를 공수하는 일을 맡았었다고 한다. 몇 달간 부산에 살았던 적은 있지만 전쟁에 참전한 것은 아니었다.

어쨌든 나는 1990년 11월 27일 마침내 뉴욕 존 에프 케네디(JFK) 공항에서 서울 김포공항으로 가는 비행기에 몸을 실었다. 부모님에 대한 부담과 한국에서의 수행에 대한 기대감이 섞인 채 말이다.

그때까지도 나는 이 출발이 내 인생을 새로 태어나게 하는 또다른 출발이 되리라곤 전혀 짐작도 하지 못했다.

비행기 안에서 한국 관광 책을 읽다가 잠이 들었다. 문득 잠이 깼을 때는 일본에 가까이 가고 있었다. 나는 너무 놀랍고 흥분되었다. 아, 드디어 내가 태어난 곳 지구의 반대편 동양 나라에 가까이 왔구나. 이 지구상에서 몇 안 되는 오랜 역사를 가진 나라로 가고 있구나.

비행기가 일본을 지나 한국에 가까이 가고 있다는 스크린 자막을 보면서 흥분에 가슴이 설렜다. 바깥은 어스름 저녁. 나의 온 신경은 오직 한국에 대한 생각뿐이었다. 잠시 후 비행기 창 밖으로 불빛들이 보였다. 작은 도시 같았다. 스튜어디스의 안내방송이 들렸다.

"지금 막 부산으로 비행기가 들어섰습니다. 발 아래 보이는 불빛이 부산 땅입니다."

나는 '부산'이라는 말을 듣자마자 외삼촌을 떠올렸다. 잠시 후 스튜어디스의 말이 이어졌다.

"지금 발 밑에 보이는 곳은 광주 땅입니다."

'광주, 광주…… 아하…… 광주…… 바로 광주 항쟁이 있었던 곳이겠구나.'

나는 비행기의 창에서 눈을 떼지 못했다. 마치 항쟁이 일어났던 당시 상황의 흔적을 그 먼곳에서 찾아내보기라도 하겠다는 듯 비행기 밖 불빛들을 한참이나 쳐다보았다. 내 심장은 두근두근거렸다. 나는 마음속으로 '아 내가 지금 얼마나 많은 한국 절을 지나고 있을까' 하고 생각했다. 케임브리지 젠센터 법수스님의 방에서 보았던 그 사찰 사진들. 푸른 산, 안개, 그 평화로운 절의 모습…….

나는 밤의 그 어둠의 땅을 내려다보면서 그때 그 사진에서 본 산들이 어디 있을까, 절의 불빛을 내가 알아볼 수 있을까 하면서 창 밖이 뚫어져라 내다보고 있었다. 마치 비행기를 처음 탄 어린아이처럼 가슴이 너무 설렜다.

시계를 보니 한국 시간으로 저녁 아홉 시 50분.

아마 이 나라 스님들은 하루의 일을 마치고 지금 절에서 주무시고 있겠구나.

"비행기가 곧 착륙하겠으니 안전벨트를 매주십시오."

마침내 서울에 도착하는 것이다.

나는 여전히 비행기 창에서 눈을 떼지 못했다. 그동안 전세계 많은 도시들을 여행하고 수십 번씩 비행기를 타고 내렸지만 이런 기분은 처음이었다.

비행기가 점차 고도를 낮췄다. 아, 마침내 큰스님 땅에 닿고 있구나. 그리고 큰스님의 스승인 고봉대선사, 또 고봉대선사의 스승이신 만공대선사, 그리고 한국 선승의 위대한 스승 경허대선사…… 그 분들이 태어나고 자라고 가르침을 펴신 이 땅에 드디어 내가 발을 딛는구나. 참선수행의 나라, 아름다운 불상이 있는 나라, 고풍스런 기와집과 깊은 산에 사찰들이 있는 이 나라를 마침내 내 발로 찾는구나.

이 나라 사람들은 어떤 표정들일까. 아마도 모두 부처님의 모습일 거야. 모두 참선수행을 열심히 하는 사람일 테니 말이야. 아, 사람들 표정은 얼마나 아름다울까.

비행기 바퀴가 나오는 소리가 들렸다. 나는 창 밖으로 혹시 절 지붕이라도 보이지 않을까 하고 머리를 완전히 창에 박고 있었다. 내 눈에 처음 발견되는 절의 불빛은 어느 절 불빛일까.

드디어 차츰 고층빌딩 불빛이 보이기 시작했다. 붉은 네온사인이 화려했다. 멀리 희미하게 빨간 점들이 점점이 눈에 들어왔다. 그런데, 가만있자 저게 뭘까. 비행기가 점점 지상 가까이 내려가자 그것이 무엇인지 뚜렷하게 보였다. 나는 깜짝 놀랐다. 그 빨간 점이란 다름 아닌 십자가였다. 한두 개도 아니고 수십 개, 수백 개에 달했다. 어둠 속에 빨갛게 점점이 박혀 있는 십자가 네온사인.

나는 그동안 여러 나라를 여행했지만 그렇게 십자가가 많은 나라는 처음 보았다. 더군다나 밤에 빛나는 네온사인 십자가는 한번도 본 적이 없었다.

'이거 불교의 나라 한국 맞아? 아마 스튜어디스가 안내 방송을 잘못한 것은 아닐까. 필리핀에 도착했는데 서울이라고 잘못 얘기한 게 아닐까. 어떻게 사찰과 불교의 나라인 한국에 이렇게 십자가가 많을 수가 있어? 그래 아마 비행기가 주유 때문에 필리핀에 들렀다가 서울로 가겠지.'

드디어 비행기가 땅에 닿으면서 바닥에 뭔가 희끗희끗한 것이 눈에 띄었는데 알고 보니 눈(雪)이었다. 필리핀은 눈이 안 내리는 곳이잖아. 서울이 맞긴 맞는 모양이네…….

다음 순간, 안내방송이 나왔다.

"웰컴 투 김포 에어포트 서울 코리아."

내 마음속엔 아직도 흥분이 가시지 않았지만 조금 혼란스러웠다. 나는 서둘러 비행기를 빠져나갔다.

어떤 나라에 도착해 비행기 트랩을 내리면 모든 나라에는 그 나라마다 설명하기 힘든 독특한 냄새가 있다. 예를 들면 몇 년 전 영국 런던 히드로 공항에 내릴 때 그 냄새는 좀 이상했다. 그렇게 상쾌한 냄새는 아니었다. 홍콩과 중국에 도착했을 때 그 나라 냄새는 나를 좀 불편하게 했다.

그런데 김포공항에 도착하자마자 내 코로 들어오는 분위기와 냄새는 아주 낯익었다. 정말 이상한 일이었다. 처음 와본 나라 같지 않았다. 열다섯 시간 동안 좁은 비행기 좌석에서 잠도 제대로 못 잤는데 하나도 피곤하지 않았다. 아니 오히려 내가 발을 딛고 선 대지에서 올라오는 기운은 내 온몸의 세포를 하나하나 깨우기 시작했다. 몸이 좀 떨렸다. 그건 단지 추워서만이 아니었다는 것이 내 오랜 여행의 경험에서 우러나온 본능적 직감이었다.

공항에 도착하자 무심스님이 나를 기다리고 있었다. 무심스님은 숭산스님 밑에서 출가한 미국인 스님으로 서울 수유리 화계사에서 생활하고 있었다. 우리는 케임브리지 젠센터에서 한 번 만난 적이 있었다.

나는 스님의 차를 타고 서울 수유리 화계사에 도착했다. 창 밖으로 비치는 처음 보는 서울의 모습. 나는 약간 충격을 받았다. 그때가 밤 열한 시가 넘은 시간이었는데 교복을 입은 학생들이 버스 정류장에서 버스를 기다리고 있었다. 미국에서는 청소년들이 오후 세 시만 되면 학교 수업을 마치고 집으로 가서 텔레비전을 보기 때문에 밤에는 거리에서 학생들의 모습을 볼 수가 없다.

그런데 지금 밤 열한 시가 넘었는데 이 많은 학생들이 학교 앞에서 버스를 기다리다니……. 나는 그들의 모습을 보면서 24시간 가게문을 열어놓고 열심히 일하던 뉴헤이븐의 한국 슈퍼와 식료품점, 한국 사람들을 떠올렸다.

'정말 열심히 사는 사람들이로구나. 학생들까지 이렇게 열심히 공부를 하다니…….'

존경심이 일었다.

김포공항에서 수유리 화계사로 가는 동안 무심스님은 나에게 이것저것 말씀을 건넸는데 사실 나는 처음 보는 서울 창 밖 풍경에 사로잡혀 그의 말에 집중할 수 없었다.

꿈의 화계사

마침내 화계사에 도착했다. 와, 드디어 숭산스님이 계신 곳에 도착한 것이다. 그렇게 꿈에 그리던 화계사. 위대한 선사 고봉스님이 돌아가신 곳. 마치 성지 순례를 온 수도자처럼 가슴속에서 경건한 마음이 일었다.

어둠 속에 희미하게 보이는 기와지붕의 아름다운 곡선. 눈을 뗄 수가 없었다. 밖이 추우니 빨리 들어가자는 무심스님의 재촉도 잘 들리지 않았다.

나는 화계사 경내로 걸어 들어서면서 좀 이상한 냄새를 느꼈다. 뭔가 퀴퀴하다고 할까. 지금와서 생각해보니 공항에 내릴 때부터 내 코를 자극하던 냄새였다.

나중에 알았는데 그것은 '연탄 냄새'였다. 그때가 1990년이었는데 그때만 해도 서울의 난방 재료는 연탄이 대부분이었다. 지금은 연탄이 자취를 감추고 있으니 불과 10여 년 만에 격세지감을 느낀다.

드디어 화계사에 방 하나를 배정받고 몸을 눕혔다. 옆에는 나와 마찬가지로 동안거에 참여하기 위해 온 서양 사람이 이미 잠이 든 상태였다.

그날 밤, 나는 몸이 피곤했는데도 흥분과 감동으로 잠을 제대로 못 이루었다. 그러다 살풋 잠이 들었다. 그러나 곧 너무 더운 열기 때문에 잠에서 깨었다. 온몸이 땀에 젖어 있었다. 몸 한쪽이 불에 데인 것같이 뜨거웠다. 온돌의 열기 때문이었다. 나는 덮고 있던 담요를 접고 접어 바닥에 깐 뒤에야 겨우 누울 수 있었다.

화계사의 기상시간은 보통 세 시였다. 그런데 나는 두 시 반에 눈을 떠 영 잠을 자지 못했다. 화장실에 갔다가 들어왔더니 룸메이트도 깨어 있었다. 알고 보니 프라비던스 젠센터에서 만난 적이 있었던 닐이었다.

간단한 인사를 마친 뒤 나는 그와 함께 밖으로 나왔다. 그에게 '큰스님이 지금 이 절에 계시냐'고 물었더니 그는 손가락으로 다른 기와집 빌딩을 가리키면서 '저곳에 계신다'고 했다.

그런데 그곳에서 불빛이 새어나오고 있었다. 그때가 새벽 두 시 40분이었다.

닐이 나의 놀란 표정을 읽었는지 이렇게 말했다.

"큰스님 방에는 항상 두 시에 불이 켜져."

"왜?"

"매일 새벽 두 시에 일어나셔서 1천 배를 하신대."

나는 감동과 존경심으로 할말을 잃었다. 잠시 큰스님이 계신 곳의 불빛을 바라보고 법당으로 갔다. 법당에는 나말고도 약 20여 명의 외국인들이 있었다. 미국, 폴란드, 캐나다, 프랑스, 독일, 러시아 등 전세계에서 동안거를 하기 위해 온 사람들과 10여 명의 외국인 스님들이었다.

드디어 숭산 큰스님이 법당 안으로 들어오셨다. 우리는 모두 삼배를 올렸다.

큰스님은 늘 그러하시듯 하나하나 우리 얼굴을 찬찬히 살피셨다. 이윽고 내 얼굴을 보시더니 이렇게 소리쳤다.

"오! 하버드 스튜던트. 원더풀 원더풀. 하우 아 유(Oh! Harvard student. Wonderful, wonderful! How are you)."

와! 세상에, 큰스님이 나를 알아본 것이다. 단 한 번 면담을 하고 두어 번 예불시간에 마주쳤을 뿐이었는데 그분이 나를 기억하고 계셨다. 나는 너무 기뻐 가슴이 마구 뛰었다.

우리 모두는 같이 염불하고 참선수행하고 발우공양까지 마쳤다. 나는 며칠 뒤부터 있을 계룡산 신원사 동안거를 기다리며 서울 구경을 했다. 조계사도 가고 승복도 샀다. 동안거를 위한 모든 준비를 마쳤다.

이윽고 내일이면 신원사로 향하는 날.

그날 밤 나는 화계사 큰방에서 나처럼 동안거에 참여하기 위해 온 10여 명의 외국인들과 함께 마침내 삭발을 했다.

아마 독자 여러분들은 출가하지도 않은 일반 신도가 승복을 입고 머리를 깎고 동안거를 하는 전통이 다소 의아할 것이다. 한국 불교의 전통에는 그런 일이 없기 때문이다. 오직 숭산스님의 전통에서만 가능한 일이다.

숭산스님이 그런 파격을 하신 데는 나름대로 이유가 있다. 서양에서 불교가 점차 인기를 얻고 있고 동양의 선사들이 존경을 받는다 해도 불교의 역사가 아직 짧기 때문에 서양만의 불교 전통은 아직 뿌리를 내리고 있지 못하다. 더구나 한국 불교의 전통에 대한 소개는 거의 없다. 한국 · 중국 · 일본 불교에서는 수행하는 사람들이 대부분 승려들이다. 그러나 미국에서는 거의 모든 불자들이 수행을 통해 불교를 접한다. 절에 가서 뭐뭐뭐 해달라고 빌기 위해 불교에 입문하는 것이 아니라 삶의 근원적 질문을 해결하기 위해 불교를 접한다는 이야기다.

큰스님은 열린 마음을 갖고 계신 분이다. 따라서 우리 미국 사람들의 상황과 마음을 잘 읽고 그에 맞춰 불교 전통을 만들어오셨다. 오히려 선방 스님들은 젠센터에서 별도의 일들을 갖고 있기 때문에 일단 승려가 되면 안거수행을 하고 싶어도 못하는 경우가 많다.

이에 비해 신도들은 자기가 마음 먹기에 따라 시간을 낼 수도 있고 출가를 하지 않고도 안거수행에 참여하고 싶어했다. 또 미국에는 당장에 절을 많이 세울 수 없었기 때문에 여자 신도들이나 비구니들만을 위해 따로 공간을 낼 수가 없었다. 따라서 큰스님은 동안거, 하안거 때 승려와 신도들이 같이 수행할 수 있도록 했다. 물론 이때 신도들은 스님들처럼 삭발을 하고 승복을 입어야 한다.

본래 숭산스님이 지도하시는 외국 사람들의 한국에서의 첫 동안거 수행은 1984년경 수덕사에서 이루어졌다. 큰스님이 젊었을 때 수덕사에 살면서 수행하셨기 때문에 그곳과의 인연은 각별하다. 큰스님의 스승이신 고봉대선사, 만공대선사, 경허대선사 역시 수덕사에서 살면서 수행하셨다.

그런 역사 깊은 사찰에서 비구, 비구니, 일반 남녀 신자들이 같은 선방에서 함께 수행한다는 것은 당시로서는 완전히 혁명적인 일이었다. 많은 한국 스님들은 숭산스님의 이런 행동이 한국 불교를 오염시킨다고 강하게 비판하기도 했다. 일부 스님들은 숭산스님에게 대놓고 '한국 불교를 망친다'고 항의를 하기도 했다.

그러나 숭산스님은 별 도리가 없었다. 많은 푸른 눈 제자들이 한국에 가서 수행하고 싶어했는데 그들을 따로따로 수용할 공간이 없었다. 또 비록 출가는 안 했다 하더라도 진정 수행을 원하는 일반 신자들에게 가르침을 주고 싶어하셨다.

결국 숭산스님과 수덕사와의 오랜 인연으로 당시 수덕사 방장스님이셨던 원담 큰스님은 숭산스님의 푸른 눈 제자들이 수덕사 선방에서 동안거를 할 수 있도록 허락하셨다.

매년 안거에 참여하는 미국 사람들이 늘어났다. 큰스님은 '한국에 가면 한국 참선 불교 전통의 뿌리를 체험할 수 있다'고 말씀하셨기 때문에 누구든지 숭산스님의 가르침을 깊이 받아들이고 싶어하는 미국 사람들은 일단 한국에서의 동안거 경험을 필수코스로 여겼다.

사람이 갈수록 늘어 더이상 수덕사 선방에서 수용할 수 없는 지경까지 되자 동안거는 1989년 계룡산 신원사로 옮겨갔다. 그리고 그 전통은 오늘날까지 이어지고 있다. 3년 뒤인 1992년, 마침내 화계사에 국제선원이 따로 만들어지면서 화계사에서도 안거가 가능해졌다.

요즘은 매년 1백 명 이상의 전세계 사람들이 큰스님의 지도 아래 하안거, 동안거 수행에 참가한다. 그들 중 일부는 출가를 했지만 그렇지 않은 사람들도 아주 많다.

신원사 동안거

신원사 안거에 참여하려면 반드시 머리를 깎아야 하고 승복을 입어야 한다고 말했다. 비록 출가는 하지 않았어도 스님과 똑같이 행동해야 한다. 아주 엄격한 규율이어서 여기에 동의하지 않으면 참여할 수 없다.

그러나 비록 내가 승복을 입고 머리를 깎았어도 출가한 스님은 아니기 때문에 스님들 앞에서는 모든 예를 갖춰야 한다. 안거기간 중 개인 물건은 사과박스 두 개 이외에는 허용이 안 된다. TV, 전화는 물론이고 편지 왕래도 안 된다. 일체 묵언을 해야 한다. 부모님이 돌아가신 경우만 빼고는 90일 동안 절을 떠나서는 안 된다.

신원사는 아주 오래된 절이다. 공주와 가까운 계룡산 남쪽에 위치해 있다. 선방은 아주 작다.

미국 사람들은 넓은 땅에서 공간의 부족함이 없이 살기 때문에 좁은 공간에 대해 유난히 다른 나라 사람들보다 더 민감하게 여긴다. 처음 경험하는 한국 사찰 생활의 모든 것이 힘들었지만 재미있는 것도 많았다. 가장 재미있었던 경험은 화장실 경험이었다. 나는 그렇게 먼 화장실은 처음 보았다. 선방에서 한 60여 미터는 떨어져 있었다.

화장실 경험은 나에게 완전히 충격이었다. 볼일(?)을 마치고 일어서면 문짝이 목 부근까지만 닿기 때문에 앞 사람의 얼굴이 보인다. 그리고 콘크리트 바닥에 구멍만을 뚫어놓은 것이라 주저앉아서 일을 봐야 했다. 냄새도 냄새였지만 추운 날씨에 볼일을 봐야 했기 때문에 매번 화장실에 가고 오는 일이 아주 귀찮았다.

바람이 많이 부는 날이면 엉덩이가 너무 추워서 오래 앉아 있을 수가 없었다. 심지어 어느 날은 볼일을 마치고 버린 휴지가 바람에 밀려 위로 날리기도 했다. 처음 겪는 일이라 좀 당혹스러웠다. 그 일을 겪고 난 뒤부터는 휴지가 날릴까봐 손을 좀더 구멍에 깊이 넣느라 애를 쓰곤 했다. 화장실 가는 일이 고역이긴 했는데 나는 안거 기간 동안 나오는 한국 음식이 너무 맛있어서 매번 과식을 했고 따라서 화장실에 자주 갔고 갈 때마다 좀 오래 앉아 있어야 했다. 그런 화장실을 보면서 한국이 후진국이란 생각보다는 이런 문화 때문에 한국 사람들이 아주 강한 의지를 가지게 된 것이라는 생각을 했다.

나는 신원사에서 살면서 한국인들에 대한 존경심을 새록새록 가지게 되었다. 할 수 있다는 의지로 똘똘 뭉친 사람들. 마음만 먹으면 못해내는 게 없는 사람들이었다.

신원사 주변에는 농부들이 많이 살고 있었다. 어느 날 화장실을 가기 위해 밖에 나왔다가 한 초로의 농부가 지게에 나뭇짐을 가득 싣고 지나가는 모습을 보았다. 나는 너무 놀라 입을 다물지 못했다.

아니 어떻게 저런 가냘픈 할아버지가 저렇게 무거운 지게를 지고 가실까. 그 옆에는 아저씨들 몇몇이 힘을 합쳐 바위를 옮기고 계셨다.

안거 생활 1개월이 지났을 때 우리는 쓰레기를 묻기 위해 신원사 뒷마당에 큰 구덩이를 팠는데 그날 함께 일을 하는 아저씨들이 너무 열심히 일했다. 그렇게 추운 날인데도 아랑곳없이 하루 종일 일을 했다. 아저씨들의 몸이 강해 보이지는 않았다. 그러나 할 수 있다는 의지 하나로 모든 것을 해냈다. 나는 그분들을 만나고 난 뒤 건강에 대한 개념을 완전히 수정해야 했다. 전엔 '건강' 혹은 '강하다'는 것이 우선 근육질 몸매에 체구가 커야 한다고 생각했다. 그래야만 힘을 낼 수 있다고 생각했다.

그런데 그게 아니었다. 그 아저씨나 농부들이나 다들 작고 비쩍 마른 체구였는데도 엄청난 힘을 냈다. 몸은 비록 미국인들보다 작고 가냘펐지만 거기서 나오는 힘은 가공할 만한 것이었다. 그것은 바로 그들의 '할 수 있다'는 마음에서 나온 것이었다. 진정 강한 것은 몸이 아니라 마음이라는 것을 나는 그 사람들을 통해 처음 보았다. 거기에 비한다면 미국인들은 몸은 크고 강해 보일지 몰라도 의지가 박약한 사람들이었다. 진정 강한 것이란 무엇인가.

또 신원사의 법당 안은 불을 때지 않아 완전히 얼음 속 같았다. 신원사는 가난한 절이었기 때문에 마음대로 땔감을 때지 못했다. 그런데 신도들은 아침 저녁으로 그 추운 법당 안에 모여 열심히 절을 했다. 부자든, 가난한 사람이든, 남자든, 여자든 그 얼음장 같은 법당 안에서 열심히 기도하고 절을 했다.

나는 그동안 수많은 나라를 가보았지만 어느 나라, 어느 민족에게서도 이런 강인한 에너지를 느끼지 못했다. 열심히 일하는 한국

©김홍희

사람들을 보면서 마음속으로 그동안 너무 편하게 살아온 게 아닌가 부끄러웠다. 그리고 한국 사람들의 이런 '할 수 있다'는 에너지가 부러웠다.

어느 날, 한 아저씨가 지게에 나무를 가득 짊어지고 절 안으로 들어왔다. 가마솥에 밥 지을 때 쓸 땔감인 것 같았다.

그는 나무가 가득 든 지게를 옆에 세워두고 잠시 땀을 식혔다. 나는 마침 쉬는 시간이기도 해서 그에게 다가가 그 지게를 한번 져보고 싶다는 몸짓을 했다.

아저씨는 흔쾌히 승낙을 하셨다.

그런데 이게 무슨 일인가. 지게는 꼼짝도 하지 않았다. 와! 이렇게 무거운 것을 나보다 약해 보이는 저 아저씨가 저렇게 잘도 졌단 말인가. 나는 스물다섯의 혈기왕성한, 힘이 넘치는 젊은이였는데도 이 노인에 가까운 아저씨가 지는 지게를 못 지다니. 아저씨는 낑낑거리는 나를 보고 한참 웃으셨다.

나는 어설프게 배운 한국말로 나이를 여쭈었다. 예순다섯이라고 하셨다. 세상에! 아저씨가 아니라 할아버지였다. 그는 허허 웃으시면서 다시 지게를 지고 부엌으로 들어가셨다. 한 손에 담배까지 쥐고 말이다. 나는 마치 텔레비전에서 하는 묘기 대행진이라도 보듯 그의 뒷모습을 바라보고 서 있었다. 그리고 그 나이쯤 되면 쓰레기통 옮기는 것조차도 귀찮아하는 살찐 미국 노인들의 얼굴을 떠올렸다.

내친 김에 부엌 안으로 따라 들어갔다. 그런데 부엌 안에는 더 신기한 일이 벌어지고 있었다. 그렇게 추운 날이었는데도 공양주 보살님들이 부엌에서 장갑 하나 끼지 않고 일을 하고 계신 것이 아닌가.

아니, 세상에 이렇게 강한 사람들이 있을까. 와 한국 사람들 정말 파이팅, 파이팅이다.

그런 모습을 볼 때마다 나는 내 마음속에 아주 큰 다짐을 했다.

'그래, 나도 할 수 있다. 나도 무엇이든 할 수 있다. 조금 불편하고 어려운 것쯤은 이겨내야 한다.'

그럴수록 아주 열심히 참선수행에 전념했다.

안거기간 중 매우 인상적인 일이 하나 있었는데 그것은 화계사 보살님들의 방문이었다. 보살님들은 땅콩버터와 빵, 과일, 야채, 케이크, 호박죽, 양말, 속옷 등을 가득 싣고 오전 열 시경 신원사에 도착했는데 신원사까지는 버스가 직접 못 들어왔기 때문에 우리가 모두 내려가서 그 짐을 다 가지고 올라왔다.

그때 일은 한국 불자들의 순수한 마음을 경험한 첫번째 경험이었다. 그들은 우리가 어디서 왔는지, 뭘 하던 사람인지, 우리가 얼마나 나쁜 생각을 하면서 나 자신과 싸우고 있는지 모를 텐데도 머리 깎은 우리들에게 존경심을 나타냈고 뭐 하나라도 도울 것이 없을까 하고 분주했다. 더구나 우리는 모두 다른 나라 사람들 아닌가. 그런데도 그들이 베푸는 사랑과 애정은 민족과 나라를 초월한 것이었다.

보살님들은 새벽 네 시에 서울을 출발해 버스에 시달린 피곤한 몸이었을 텐데 바로 부엌으로 달려가 미역국, 찰밥 등 우리를 위한 점심 음식 만들기에 여념이 없었다. 그리고 선방으로 와서 우리에게 삼배를 올렸다. 나는 스님도 아닌데 그들에게 스님 대접을 받는 것 같아 미안하고 계면쩍었다.

여태껏 살면서 그런 순수한 사람들을 만난 적이 없었다. 우리는 보살님들과 둘러앉아 차를 마셨다. 묵언 때문에 많은 얘기를 할 수 없었지만 말 없이도 우리는 너무 좋은 시간을 가졌다.

당시 나는 한국말을 거의 몰랐다. 그런데 한국에 도착하면서 들은 말 중에 '여보세요'라는 말이 쉽게 외워졌다. 아마 인사말인 것 같았다.

나는 버스를 타고 신원사를 떠나는 그들을 향해 '여보세요' '여보세요' 하면서 손을 흔들었다. 몇몇 보살님들이 내 말을 듣고 좀 이상한 표정이 되었지만 이내 박장대소를 하는 바람에 나는 내가 틀린 말을 하고 있는지 꿈에도 몰랐다.

지금도 그 일을 생각하면 얼굴이 빨개진다.

이 화계사 보살님들의 방문은 나를 더욱 고무시켰다. 그런 순수하고 정이 넘치는 친절한 마음. 생전 처음 보는 사람들한테, 그것도 파란 눈을 가진 외국인들에게, 한국말도 모르는 우리들에게 그들은 마치 어머니 같은 큰 사랑을 베풀어주셨다.

오케이, 원더풀 인터뷰

신원사에서 수행한 지 한 달 반 가량 지난 어느 날, 아침공양 후 안거를 지휘하는 입승스님(Head monk)이 "오늘 아침에 숭산 대선사님이 이곳에 오십니다. 법문 후에 여러분 모두를 다 개인적으로 만나실 겁니다. 숭산 대선사께서는 미국 포교를 마치고 오늘 아침 아홉 시 비행기로 서울에 도착하셔서 바로 이곳으로 내려오십니다" 라고 했다.

우리 모두는 그 말을 듣는 순간 흥분과 설렘에 부풀었다. 청소도 더 열심히 하면서 대선사님 맞을 준비를 했다.

나는 지난 한 달 반 동안 수행을 아주 열심히 했다. 쉬는 시간도 남들처럼 누워 있지 않고 대웅전으로 가서 1천 배를 했다. (거의 수행에 걸신이 들려 있었다.) 물론 어려웠지만 어떤 때는 아주 행복했다.

가만히 앉아 있는데도 좋은 감정이 나타났다 사라지고 그동안 내가 살아오면서 겪었던 좋은 경험에 대한 기억도 나타났다 사라지고, 분노 · 두려움 · 나쁜 기억 · 행복 · 의심 · 욕심 · 갈망 같은 온갖 종류의 감정들이 나타났다 사라졌다. 그리고 이 왔다갔다 하는 생각들 뒤에는 뭔가 좀더 맑은 것, 좀더 순수한 뭔가를 볼 수 있을 것 같았다. 수행을 하면 할수록 나는 내 마음이 깨끗해지고 맑아지고 그래서 내 얼굴 표정이 바뀌는 것을 확연하게 느낄 수 있었다. 마치 자동차 유리에 서리가 가득 끼어 있는 것에 비유할 수 있을까. 서리 때문에 바깥이 잘 보이진 않지만 서리를 벗겨내면 바깥 풍경이 어떠하리라는 이미지를 상상할 수 있는 것처럼 말이다.

마침내 대선사님이 도착하셨다. 그의 에너지와 우리의 에너지가 합쳐져 방안에는 놀랄 만큼 활기찬 기운이 넘쳐 흘렀다.

그날은 나와 큰스님과의 네번째 만남이었는데 그를 만날 때마다 나는 큰스님의 에너지의 맑고 깊음에 감동을 받는다. 그의 에너지는 정말 믿어지지 않을 정도였다. 보통 인간에게서 풍겨나오는 에너지가 아니었다. 우리는 선방에 모두 모여 큰절을 세 번 올렸다. 그는 환하게 미소지으면서 아주 큰 목소리로 "여러분 모두 안녕하세요" 하면서 우리 얼굴을 차례 차례로 돌아보시며 "얼굴들이 아주 좋아요, 하하하" 하고 웃으셨다. 이 대인, 큰 깨달음을 얻으신 대선사가 어쩌면 저렇게 아이 같은 미소를 지으실 수 있을까.

그후 우리는 선방으로 다시 돌아가 참선수행을 하면서 큰스님과의 개인 면담을 기다리고 있었다. 개인 면담은 선방 옆 방에서 행해졌는데 가끔 흘러나오는 큰 웃음소리에 우리는 수행을 하면서도 그 소리에 귀를 쫑긋 세우고 있었다. 면담을 마치고 오는 사람들마다 아주 환하고 밝은 미소를 띤 채 선방으로 들어왔다.

드디어 내 차례.

오랫동안 앉아 있어서 일어서려고 하니 사뭇 다리가 아파왔다. 나는 긴장이 되었다. 매번 큰스님을 만날 때마다 겪는 일이지만 그렇게 긴장해보기는 처음이었다. 실제로 이번 인터뷰는 수행을 시작한 뒤 이뤄지는 본격적인 첫번째 공안인터뷰였기 때문에 나는 더욱 흥분과 설렘에 몸이 떨려왔다.

문을 열고 들어가자 마치 태양이 방 한가운데 있는 느낌을 받았다. 그 환한 미소와 달덩이 같은 얼굴. 빛이 나고 있었다. 강하고 맑으면서도 따뜻한 힘이 느껴졌다.

간단한 인사가 끝나고 큰스님이 물으셨다.

"질문이 있으면 어떤 것이든 좋으니 해보세요."

나는 고개를 저으며 별로 없다고 말씀드렸다. 사실 너무 긴장이 돼 무엇부터 여쭈어야 할지 갈피를 못 잡고 있었다.

"오케이. 그럼 내가 하나 질문을 할게요. 당신은 어디에서 오셨나요?"

"……미국에서 왔습니다."

순간 큰스님은 너털웃음을 터뜨리시더니 이렇게 말씀하셨다.

"오케이. 하나 더 묻겠습니다. 부처란 무엇이지요?"

나는 손바닥으로 바닥을 쳤다. 탕.

"오케이, 원더풀, 그 다음은?"

"벽은 하얗고 선사님 눈이 갈색입니다."

"좋아요, 좋아요. 원더풀."

큰스님은 고개를 끄덕이시며 아주 행복한 표정이 되셨다.

그리고 다시 이렇게 물으셨다.

"왜 하늘은 푸르지요?"

"……아이 돈…… 노우."

"좋아, 좋아. 그런 마음을 갖고 정진하세요. 온리 고 스트레이트 돈 노우(Only go straight. Don't know)."

그는 항상 주장자(긴 지팡이)를 들고 다니시는데 주장자로 내 단전부분을 가볍게 치셨다.

"이 센터가 튼튼해져야 해요. 지금은 좀 약해요. 오케이?"

"예. 알겠습니다. 선사님"

나는 내친 김에 말을 이어나갔다.

"선사님의 가르침이 얼마나 위대한지 제가 제대로 표현할 수 없을 정도입니다. 선사님의 가르침은 저를 비롯한 우리 모두에게 가장 위대한 복음입니다. 저는 지금 록펠러보다도 더 부자 같습니다."

그는 박장대소를 했다.

"탱큐, 탱큐. 하지만 내가 당신에게 준 것은 아무것도 없습니다. 당신 자신 안에 이미 수백만 달러가 있습니다. 단지 그것을 어떻게 사용할지를 모를 뿐입니다. 그게 핵심입니다."

나는 그의 방을 걸어나오면서 너무너무 행복했다.

큰스님을 만난 뒤 내 수행은 점점 더 강도를 더해나갔다.

벽암 큰스님

나는 이 분 이야기를 빼놓을 수 없다. 바로 신원사 조실스님이신 벽암 큰스님이다.

벽암 큰스님은 이틀에 한 번씩 우리에게 법문을 하셨다. 영어를 잘하는 한국인 스님이 옆에서 통역을 해주셨다. 벽암 큰스님은 신원사의 큰스님인데 한국 조계종단에서 매우 존경받는 큰스님 중 한 분이다.

벽암 큰스님은 법문 때마다 우리에게 "여러분들은 아주 운이 좋은 사람들이다. 숭산 큰스님은 이 세상에서 가장 위대한 분이시다. 내가 젊었을 때는 스승에게 뭘 배우려면 먼 길을 걸어 스승이 계신 깊은 산으로 가야 했다. 그런데 이 위대한 선사는 여러분이 수행하는 곳으로 직접 오신다. 이 얼마나 영광되고 행복된 일이냐. 이 기회를 절대 낭비하지 말아라"고 강조하셨다.

그는 60대 후반이 다 되어가는 노스님이었는데도 작은 체구에서

뿜어져 나오는 에너지가 철처럼 강했다. 벽암 큰스님에 대해 한국 스님들은 이렇게 말씀들을 하셨다. 그 노스님은 매우 어려운 분이라고.

어느 날, 벽암 큰스님은 우리에게 이런 말을 한 적이 있다.

몇 년 전, 조계종에서 교육원장이라는 직책을 맡고 있었어요. 당시 나는 한번도 웃은 적이 없었지요. 많은 스님들이 나를 두려워했습니다. 무섭다고 피하기도 하고 싫어하기도 했지요. 그래도 나는 여전히 무서운 표정으로 일을 했지요. 그게 스님의 도리에 맞는다고 생각했기 때문입니다. 한국 불교 사회는 유교 사회이기 때문에 사람들 앞에서 많이 웃는 사람을 실없다고 싫어합니다.

그런데 어느 날 숭산 큰스님을 뵈었는데 활짝 웃고 아주 행복한 얼굴이더라 이겁니다. 여러분들 모두 아시다시피 그는 위대한 선사님이십니다. 그리고 모든 사람들이 선사님을 존경하고 좋아하고 선사님 주변에 가기만 하면 사람들이 모두 행복해져요.

그래서 나는 약간 고민하기 시작했어요. 내 스타일에 문제가 있는 것은 아닌가.

나는 서점으로 뛰어갔지요. 그리고는 《웃음의 미덕》인가 하는 제목을 발견하고 선뜻 그 책을 샀습니다. 무슨 항공사 스튜어디스인가가 쓴 책이었다고 기억되는데 아마 예절교육이나 그런 것을 가르치려는 목적이었던 것 같아요. 그 책은 미소의 중요성에 대해 강조했는데 나름대로 나에게 인상적이었지요. 그후 나는 '미소수행'을 하기로 결심했습니다. 웃기 싫어도 억지로 미소를 띠려고 노력한 거지요. 그런데 그후로 갑자기 많은 사람들이 나를 좋아하고 따르기 시작했습니다. 이제 미소는 나에게 아주 자연스러운 것이 되었습니다. 숭산스님에게 자연스러운 것처럼 말입니다.

우리는 그 말을 들으면서 배꼽을 잡고 웃었다.

벽암 큰스님의 순수한 마음이 그대로 전달되는 것 같았다.

벽암 큰스님은 늘 그렇게 우리에게, 마치 할아버지가 손자 손녀들을 무릎에 앉혀 놓고 얘기하시는 것처럼 다정하게 삶의 지혜를 주셨다. 삶에서 우러나오는 그의 이야기와 가르침은 우리들에게 큰 감명을 주었다.

어느 날 누군가 벽암 큰스님에게 이렇게 여쭈었다.

"50년간 스님 생활하시면서 가장 중요하다고 생각하는 가르침 하나를 주십시오."

그러자 큰스님은 일말의 주저도 없이 이렇게 대답하셨다.

"화장실에서 이빨 닦을 때 물로 입가심하면서 서서 하지 말고 앉아서 하라는 것, 왜냐하면 입가심하고 나서 물 뱉을 때 옆 사람에게 물이 튀니까."

우리는 박장대소를 했다. 그리고 그의 어린아이 같은 맑고 순수한 마음에 큰 감동을 받았다.

아! 스님이 되고 싶다

마침내 90일간의 겨울 안거가 끝났다.

깊은 산, 깊은 절에서의 90일 동안 참선수행 경험에서 얻은 것을 내가 어떻게 말로 설명할 수 있을까. 도시에서 태어나 도시에서 교육받고 주로 도시만 여행했던 내게 계룡산 신원사에서의 그 체험은 너무 큰 것이었다. 그런데 이상한 것은 모든 경험이 나에게 아주 친숙했다는 점이다.

신원사 법당 앞에는 아주 오래된 감나무가 있는데 그렇게 오래된 듯한 나무는 처음 보았다. 그런데 그런 나무 하나조차도 내게는 낯설지 않았다. 미국에는 나무들이 다 싱싱하고 쭉쭉 뻗어 있다. 그런데 한국 나무들은 다 비틀리고 꺾였는데도 보면 볼수록 애정이 갔다.

90일이 어떻게 지나갔는지 모르겠다. 그러나 나에게는 그 경험이 내 인생에 새로운 획을 그어줄 사건이 될 것임을 마음속 깊이 느끼고 있었다.

안거가 끝나고 화계사로 올라왔다. 한 달 동안 화계사에 있으면서 안거수행에 참여했던 미국인 친구와 함께 숭산스님의 법문집을 영어로 편집하는 작업을 했다. 그 미국인 친구는 오랫동안 숭산스님의 가르침을 접한 친구였는데 나에게 좀 도와 달라고 해서 흔쾌히 참여한 것이다.

미국으로 돌아가기 10여 일 전, 나는 그 친구와 함께 한국 여행을 하기로 했다. 그 친구도 한국행은 이번이 처음이어서 둘 다 어디를 가야 할지 망설이고 있는데 화계사 스님 한 분이 경주를 가보라고 했다. 무작정 서울역으로 가서 경주 가는 기차표를 끊었다. 급히 떠나온 길이라 여행 안내 책자 하나 없이 내려갔다. 그저 화계사 스님한테 경주에 가면 남산에 들렀다가 불국사에 가서 자고 오라는 얘기만 듣고 내려온 상태였다.

우리는 물어 물어 남산이라는 곳엘 닿았다. 남산으로 들어서서 다섯 시간, 여섯 시간을 걸어 올라갔다. 그런데 나는 남산을 올라가면서 주변마다 곳곳에 새겨진 석불들을 발견하고 너무너무 깜짝 놀라고 흥분했다. 남산은 마치 살아 있는 박물관 같았다. 이탈리아 로마에서도 비슷한 느낌이긴 했지만 로마는 하나의 도시이기 때문에 남산 같은 안온한 느낌을 받을 수는 없었다.

아니, 차원이 다른 것이었다. 너무나 인상적이었다.

한참을 걸어 올라가다 마침내 우리는 큰 석상 앞에 도착했다. 그 웅장함과 장엄함에 놀라 서 있었더니 친구가 앞에 앉아 참선을 하자고 제안했다. 몇 시간 동안 앉아서 우리는 산속 참선수행을 하고 108배를 했다. 수행을 마치고 산을 더 올라갔더니 작은 암자가 나왔다. 가쁜 숨을 몰아쉬며 고개를 돌리니 눈앞에 큰 논이 펼쳐졌다. 저 멀리 산능선들이 겹쳐 보이는데 너무 아름다웠다. 나는 마음속으로 다짐했다.

'그래, 꼭 한국에 다시 올 거야.'

우리는 그 작은 암자를 한참 둘러보다 산을 내려왔다.

남산을 내려온 우리는 불국사 석굴암으로 향했다. 불국사 석굴암…… 아니! 이렇게 아름다운 건축물이 왜 세상에 전혀 알려지지 않았을까.

나는 로마에서 한 달간을 산 적이 있다. 프랑스에서는 정말 아름다운 수도원들을 차례로 방문한 적이 있다. 매일 루브르 박물관에 가서 살다시피 했다. 독일에서는 아름다운 고성들도 많이 가봤다. 그런데 불국사 석굴암의 아름다움은 그 세계적인 문화재들과 비교해서 전혀 손색이 없는 것이었다.

불국사 석굴암을 보면서 나는 아주 진한 감동을 받았다. 그리고 의문이 들었다. 그동안 로마, 파리의 문화에 대해서는 그렇게 많이 들었건만 어떻게 한국의 이토록 아름다운 문화에 대해서는 한번도 보거나 들은 적이 없었을까. 도대체 이 한국이라는 나라는 어떤 나라인가. 저 불상과 굴을 만든 사람은 미켈란젤로, 레오나르도 다빈치에 버금가는 천재적 장인임에 틀림없다. 그런데 왜 우리는 그들에 대해 단 한번도 들은 적이 없었을까. (나는 석굴암 불상의 아름다움에 너무 감동해 나중에 그 불상의 얼굴을 숭산스님 영어법문집 《선의 나침반》의 표지로 썼다.)

나는 마치 비밀의 성을 탐사하는 사람처럼 경주의 모든 것에 놀라고 가슴이 뛰었다. 이윽고 불국사 대웅전에 무릎을 꿇고 앉았다.

부처님 앞에서 절을 하는 내 마음속에 이번에는 간절한 다짐 하나가 피어올랐다.

'아! 스님이 되어 한국 땅에서 살고 싶다.'

재미있는 것은 그 후 내가 정말 스님이 되어서 마침내 한국에서 살게 되었을 때, 어느 해인가 백일 기도를 하기 위한 토굴을 찾고 있었다. 마침 동국대에서 만나 친하게 된 원각스님이 나에게 암자 하나를 소개해줬는데 경주 남산에 있는 천룡사라고 했다.

나는 천룡사를 찾아 남산을 걸어 올라가면서 내가 그날 그 자리에서 기도하고 참선했던 불상을 발견하고 감회에 젖었다. 그런데 천룡사는 그 불상에서 불과 1백여 미터 떨어진 곳에 있었다. 더욱 신기한 것은 산등성이에서 저 멀리 마을들을 굽어보며 한국에 다시 오겠다고 다짐했던 그 암자가 바로 천룡사였다. 정말 묘한 인연이었다.

천룡사는 신라시대 때 나라에서 세우고 지원한 호법국사(護法國寺)였다. 신라시대 때는 중국 승려, 학자들까지 합쳐 1천여 명이 먹고 자면서 수행을 했던 곳이라고 한다. 《삼국유사》에도 소개가 된 절이다. 지금은 절은 불타고 사라진 채 돌기둥만 여기저기 남아 있는 폐사지에 작은 암자만 서 있다.

나는 스님이 된 후 백일 기도를 위해 천룡사에 들어서면서 깊은 감회에 젖었었다. 갑작스럽게 이뤄진 경주 방문, 남산 등산, 전혀 계획하지 않았던 남산 석불 앞에서의 참선수행과 그곳에서의 다짐. 그리고 몇 년 후 다시 예기치 않았던 남산 천룡사에서의 백일 기도. 돌이켜보니 그 모든 것은 결코 우연이 아니었다.

©김홍희

불국사 경내를 거닐면서 출가를 생각했다. 그러나 막상 출가를 생각하자 얼른 부모님의 얼굴이 스쳐 지나갔다. 형제와 누나들의 얼굴도 스쳐 지나갔다. 그리고 그녀의 얼굴…… 나의 여자친구의 얼굴이 떠올랐다. 고백하자면 출가하기 전 나에게는 아주 사랑하는 여자가 있었다. 나는 그녀를 케임브리지 젠센터에 다닐 무렵에 처음 만났다. 그녀는 숭산스님의 제자로 케임브리지 젠센터의 지도법사였다. 머리가 아주 좋았다. 그녀의 삶은 온통 참선수행뿐이었다. 모든 일에 두려움이 없는 강한 여자였지만 친절하고 다정다감했다. 많은 사람들이 그녀를 좋아하고 존경했다.

나는 어느 날 그녀를 부모님에게까지 소개시켰는데 부모님들은 아주 좋아하셨다. 부모님은 우리 두 사람이 결혼하기를 진심으로 바라셨다. 그동안 나는 남자 친구들에게서는 얻을 수 없는 지혜와 교훈을 여러 여자친구들로부터 얻었다. 사랑이란 내 삶에 많은 것을 경험하게 해주었고, 많은 가르침을 가져다준 귀한 경험이었다.

그런 중에도 나는 마침내 그녀를 만나면서 완벽한 영적 파트너(soul mate)를 만났다고 믿었다. 우리는 같이 수행하고 삶의 진지한 문제들을 함께 공부하는 도반이었다.

나는 불국사 대웅전을 빠져나와 스님들이 내준 절방에 몸을 눕혔다. 그러나 이 생각 저 생각으로 잠을 못 이뤘다. 나는 정말 억세게 운이 좋은 사람이다. 살면서 너무 많은 것을 다른 사람들에게 받아만 왔다. 이제 내가 그들에게 받은 것을 돌려주어야 하지 않을까. 이 고통에 빠진 세계에서 내가 할 수 있는 일은 무엇일까. 어렸을 때부터 신부가 되겠다는 결심. 그것은 다른 사람을 위한 삶을 살기 위해

서였다. 마음 한구석, 늘 진리를 찾고 싶다는 갈망으로 목말라 했다.

그런데 이제 비로소 나의 길을 찾았다. 문만 열고 들어서면 내 앞에 진리의 삶이 활짝 열리는 것이다. 그러나 그 길은 둘이 걷는 길이 아니라 혼자 걸어가야 하는 길이다. 물론 훌륭한 짝을 만나 같이 수행하며 살 수도 있다. 그러나 결혼을 하고 아이를 낳으면 오직 '나'만 생각하게 된다. 수행과 결혼은 양립하기 힘들다. 젠센터에서 이미 많은 사람들의 시행착오를 보아왔다. 여자친구와의 데이트 때문에 예불시간에 빠진 적도 있을 정도인데 결혼을 하면 과연 수행을 제대로 할 수 있을까. 그러니 가족들 다 버리고 그 살을 저미는 외로움을 감수하면서 출가를 하는 전통이 2천5백 년이나 이어져 오는 것이 아닌가.

나는 이런 생각을 하면서도 무섭게 도리질을 쳤다. 내가 과연 그렇게 할 수 있을까. 못해, 못해.

그러면 또, 너는 어떻게 살래. 다람쥐 쳇바퀴 돌 듯 생활과 일상에 묶여 그저 그렇게 살아가고 싶어?

다시 돌아누웠다. '그래, 결혼하지 말자, 출가하자.'

나의 이런 결심으로 인해 얼마나 많은 사람들이 고통스러워할까. 내게도 상상할 수 없는 마음의 고통이 다가오리라. 그러나 내 마음속 간절한 염원은 변하지 않고 오히려 더 강해졌다. 아니, 이건 이미 오래 전부터 내가 갖고 있었던 진정한 바람을 이제야 발견한 것뿐이다.

나는 정말 스님이 되고 싶다.

불국사에서 돌아온 며칠 후 나는 미국으로 가는 비행기에 몸을 실었다. 몸은 한국을 떠나지만 이미 알고 있었다. 이곳에 다시 오게 되리라는 것을. 그것은 나의 의지가 아니라 거역할 수 없는 운명처럼 여겨졌다.

미국에 돌아가자 부모님과 친구들은 내 얼굴이 완전히 바뀌었다고 놀라워했다. 너무 맑아지고 깨끗해졌다는 것이다. 부모님은 내가 학교에 다시 등록을 하자 적이 안심을 하시는 눈치였다.

나는 시간 날 때마다 부모님과 친구들에게 한국에서의 경험에 대해 얘길했다. 그들은 호기심을 갖고 내 얘기에 귀를 쫑긋 세웠다.

나는 또한 한국에서 재미있는 선물을 많이 사갔는데 친구들과 부모님은 그것들을 받으며 기뻐하셨다. 그들에게 나무 원앙새 한쌍, 산수화 그림 등을 주면서 한국이 얼마나 오랜 역사와 문화적 전통을 가지고 있는 나라인지 자랑했다. 불교 신자인 친구들에게는 단주와 불상이 그려진 탱화를 선물했다. 오늘날까지도 내 하버드 친구들 중에는 그때 내가 주었던 염주와 단주를 손에 차고 다니는 친구들이 있다.

그 당시만 해도 미국에는 불교용품을 파는 가게가 별로 없고 기껏해야 LA나 뉴욕 같은 대도시에 가야 겨우 구할 수 있다. 따라서 한국에서는 아주 싼 물건이어도 미국에서는 구하기 힘든 물건들이 많다.

나는 그들에게 한국 사람들에 대한 이야기도 많이 했다. 강하고 순수한 마음을 가진 사람들, 열심히 일하는 사람들, 무엇이든 할 수 있다는 의지를 가진 사람들…….

이밖에 한국에서의 사찰 경험, 고승들을 비롯한 승려들의 생활, 숭산스님 이야기, 벽암스님 이야기, 같이 수행했던 전세계에서 온 숭산스님의 제자들 이야기, 휴지가 날아다니는 화장실 이야기, 우리를 자식들처럼 돌봐주었던 보살님 이야기 등, 하버드 친구들은 내가 이야기를 할 때마다 박장대소를 하고 손뼉을 치며 입을 헤에~ 벌리고 들었다.

하버드 친구들과 젠센터 도반들 중 몇몇은 내 얘기에 자극받고 이듬해 한국 신원사에서 동안거를 하기도 했다.

(2권에 계속)